蒋维乔◎著

【佛学入门四书】

因是子佛学入门

人民东方出版传媒
东方出版社

蒋维乔

平林漠漠煙如織寒山

一帶傷心碧暝色入

高樓有人樓上愁

玉階空佇立宿鳥歸飛急

何處是歸程長亭更短亭

偉先先生屬正 壬戌蔣維喬

蒋维乔手迹

天王送子图（摹本）

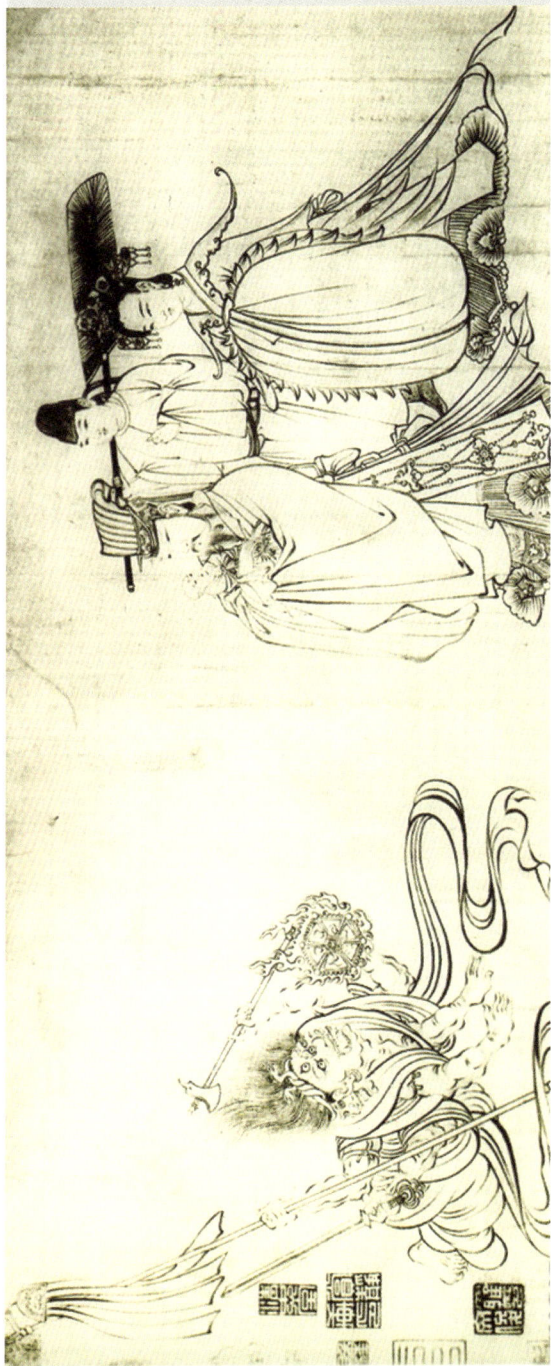

《天王送子图》又名《释迦降生图》，乃唐代画圣吴道子根据佛典《瑞应本起经》描绘佛祖释迦牟尼降生为悉达王子后，其父净饭王和摩耶夫人抱着他去朝拜大自在天神庙时诸神向他礼拜的故事。

佛涅槃图

敦煌石窟384窟迦叶像

敦煌石窟45窟阿难像

汉西域诸国地图

佛教传入我国，首先出现在新疆地区——汉朝时称之为西域。

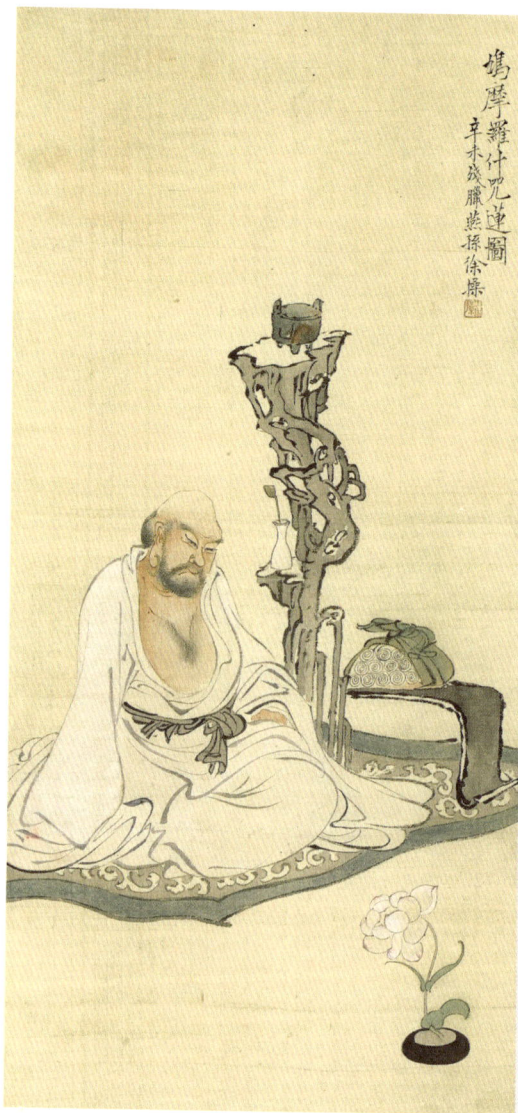

鸠摩罗什咒莲图（徐燕孙作）

　　鸠摩罗什（334—413，或350—409），生于西域龟兹国（今新疆库车一带），深明大乘佛学，声誉远播。前秦大将吕光伐龟兹，挟至凉州。后秦姚兴灭吕氏，又迎至长安。潜心钻研佛学，将梵文经卷译成汉文，与真谛、玄奘并称为中国佛教三大翻译家。

我国最早雕刻印刷的一部佛典总集《开宝藏》（即宋版大藏经）始刻于开宝年间（968-975年），在佛教史及印刷史上都占有极为重要的地位，于海内外流传。但在元代就已散佚，国内现仅存两种宋本残卷。《高丽大藏经》即在《开宝藏》基础上雕刻而成。

　　此图描绘了释迦牟尼为长老须菩提说法的场面。刻于唐咸通九年（868年），被公认为是世界上有准确纪年的最早一幅版画作品。1900年发现于敦煌，现藏英国不列颠博物馆。

虎溪三笑图

相传晋朝僧慧远居居东林寺时，送客不过溪。一日儒者陶潜，道士陆修静来访，与语甚契，相送时不觉过溪，虎辄号鸣，三人大笑而别。此即虎溪三笑图所绘之内容。后世视之为儒释道三教亲和之象征。

慧远（334—416），姓贾，雁门楼烦（今山西原平）人，精通六经及老、庄之学。年二十一，闻道安法师讲《般若经》，悟而出家。后入庐山，结茅为舍，讲《涅盘经》。住持东林寺，集众六时念佛求生西方，是为中国净土宗之始。在山三十余年，虽帝诏亦不出，道风远播，群贤皆趋，东林寺遂为南方佛教中心，与北方长安鸠摩罗什之逍遥园遥为呼应。

目　　录

目　录

自　序

　　有一天，我友舒新城来说："中华书局现在拟编一套百科丛书，专供中学程度的人阅读。拟定的目录中间，有《佛学纲要》（即本书①）一种，要请您担任，但有两个条件：一是不可太深；二是要用白话。"我听他这话，想了一想，颇难立刻回答。因为佛教的本身，是建筑在理智上面的，比任何宗教，来得精深博大，要说得十分浅近，根本上就有点为难；至于白话文字，我向来虽没有做过，倒可以迁就的。

　　隔了几天，舒君居然送到正式函件，一定要我担任这工作。我想一二十年前，自己研究佛典，得不到浅近入门书，枉费了无数的冤枉工夫，回想起来，真不值得。

---

① 编者对于原著部分字句作了解释说明，置于括号内，以楷体字显示，区别于正文。

倘然能借这机会，做一部浅近的书，方便方便初学的人，叫他们不再像我的暗中摸索，有一条坦坦平平的路，可以向前走去，也是很有益的，就毅然答应下来。

答应是答应了，但是怎样着手，方可以真正达到浅近两个字呢？这不是容易的事。左思右想，经过多日，方才得到三条原则：一是佛学上的专门名词不易了解，最为初学的难关，这书于专门名词，可以少用，就舍而不用；遇到必用的名词，随时拿这名词界说意义，讲明以后，方叙述下去；倘若行文时不便多加说明，就在本句底下加以夹注。二是佛学上高深的道理，也为初学所不能明了的，这书多采事实，少谈玄妙，只将佛学上根本原理，详细说明，此外各宗的广泛的学说概从省略。三是佛家的修道方法，各宗派别不同，也很复杂，这书也不一一罗列，只将简单而可以实践的，说明大略。定了这三条原则，方才着手编辑。如今全书告成，拿来翻阅一过，似乎中学程度的人，可以懂得。现代关于佛学的入门书，恐怕再要比这书浅近，是没有的了。

我提笔做白话文，这还是第一次。但是我并不是主张文言反对白话的人，从前所以不大做白话的缘故是因为文言简短，白话冗长，三句两句就可了的文言，改用白话，或须七八句十几句方可说完。我好几十年用惯了文言的工具，一旦要改做白话，倒反觉得费事，从前不大做白话，就不过为这点小关系，并没有什么新旧的成见在那里。记得民国八九年时候，我在北平，这时我国

自 序

的白话大家胡适之，正在大吹大擂，提倡白话文。有一
天，我在友人陈颂平桌上，看见适之写给颂平一个字条，
却全是文言，旁边特加小注云："事繁不及作白话。"可
见彻底主张白话的人，到忙的时候，也不得不用文言，
并且还要特别声明暂时不做白话的缘故，免得人家疑心
他改变节操。拿这件小小故事来引证，可见事繁的人，
又是向来用惯文言工具的，不肯轻易做白话，不足为
奇了。

　　我做完了这部书，也觉得白话有许多好处。往往有
文言不能掺入的说话，用白话文写来，可以畅所欲言，
觉得头头是道，平添读者许多兴味。况且舒君新城规定
的百科全书，每册拿五万字为限，讲到佛学的材料，就
是十万字二十万字，也可以写不完的。我这部书，依照
上面三条原则去搜材料，当然有一大部分不能适用，所
以反觉得枯窘，几乎五万字，还凑不满。幸亏是白话，
可以多说几句，方才能够合格，否则恐怕不能交卷了。
但是我做的白话，是正正当当的语体，不像那些时髦人，
一开口就拿下等人的粗言鄙语，涂得满纸，中间还要夹
入许多古奥的成语在里面，自家以为独倡的格局，人们
也因为他是当代伟人的手笔，不敢加以非难。这种妖模
怪样的白话，尽管有人恭维他是圣人，我是绝对不敢赞
成的。

蒋维乔

例　言

一、这书共十一章，凡是佛教的起源、变迁、传布以及教理、经典、修道方法等，都已完备，阅读以后，可以得到佛教全部的概况。

二、我国研究佛学的人，向来不注意到入门书籍，所以初学的人徒然望洋兴叹。这书是弥补这种缺憾的。

三、这书于专门名词，随时说明，或加夹注，所以各章后面，不必另加注释。

四、这书中间引用的经典，必注明某书第几卷，以便学者找寻原书。

五、这书遇地名、人名，凡是有西文的都拿西文附注于下，以便学者将来可参考外国典籍。

六、这书于历史年代，都注明公元纪年，以便前后贯串。

第一章

绪　论

第一节
什么叫做佛学

佛陀的意义

这个"佛"字是从印度梵文里翻译出来的名词，如果音译就是"佛陀"（Buddha）两字。它的意思，就是"觉者"。这"觉者"又含三种意义：一曰自觉；二曰觉他；三曰觉行圆满。

什么叫做自觉？就是说佛自己先能觉悟。

什么叫觉他？是说佛不单是自己觉悟，并且化导他人，叫他人也能觉悟。

什么叫觉行圆满？是说佛自己觉悟，又觉悟他人，这两种德行，已到了圆满无缺的地步。

这"佛陀"两字，平常习惯用省略的称呼就叫做佛。

第一章　绪　论

佛教与佛学

世界无论哪种宗教，各宗各有其依据的哲理，但多少总带些迷信的色彩，唯有佛教的基础是完全建筑在理智上的。所以佛教包含的哲理，很高很深，非但任何宗教所不能及，就拿东西洋的各种哲学来比较，也没有哪一种哲学能够赶得上的。我们略去佛家的宗教形式，单拿它的学理来讲，也觉得包罗万有、趣味宏深。这是稍微涉猎的人都公认的。因此，用这种方式将佛教当做一种学问去研究，就可以叫做佛学。

第二节
研究佛学怎么样下手

大藏经与一切经

佛家的经典，全部整个儿的，称为《大藏经》，又叫做《一切经》。这名词是什么时候起的呢？那是隋朝开皇元年，朝廷命京师以及诸大都邑地方，一律用官家经费，抄写一切经书，安放在各寺院里。又另外抄写一份，藏在皇家的秘阁里面。这就是"藏经"和"一切经"两个名称的来源。照此看来，"藏"字最初是含有贮藏的意味，到后来又加添了包藏丰富的意味。

经律论三藏

《大藏经》的内容，分为三大部分：一曰经藏；二

第一章 绪 论

曰律藏；三曰论藏。经藏的梵音叫做"素呾缆"（Sūtrapitaka），乃是记录佛的言说。"素呾缆"的本义，是用线去贯串花鬘（花鬘是印度人的装饰）的意思。佛的言说能够贯串一切的道理，所以拿"素呾缆"来做此喻。我国古来称圣人的言说为经，经字的义，训为常，训为法，其意是指圣人的言说就是常道，是可以为世间所取法的。并且，织布时，直线为经，横线为纬，这也有用线去贯串的意思。所以古时翻译的人，就译素呾缆藏为经藏。律藏的梵音叫做"毗奈耶"（Vinayapitaka），这乃是佛所定的戒条。"毗奈耶"的本义是灭，是说佛弟子遵守这种戒条，就可以消灭身、口、意三业的过恶的意思（我们有所造作，名为业，一切造作的业，不外身的动作、口的说话、心的主使，这叫作身、口、意三业），这和我国的律令意味相同。所以古时译毗奈耶藏为律藏。论藏梵音，叫做"阿毗达摩"（Abhidharmapitaka）。"阿毗"译为对，"达摩"译为法，就是用对观真理的智慧，得到的涅槃妙法的意思（"涅槃"是梵音，意为寂灭，佛家超脱生死，到得不生不灭的地位，名曰"涅槃"）。换句话说，论藏所收获得的，大抵是菩萨（"菩萨"是梵音，意为觉有情，言其既能自己觉悟，又能度脱众生。众生有生命情感，故称有情。菩萨之地位，次佛一等）发挥经义、教诫学徒的议论，学徒得这种教诫，就能观察其理，发生智慧，照此方法修行，可以超脱生死的苦，到达不生不灭的境界。

研究藏经的下手方法

提到《大藏经》，那就是一部二十四史，真不知从何处说起了。这部庞大的经，卷帙的繁多、义理的高深、文字的古奥，三件的中间，有了一件就能叫学者望洋兴叹，况且这三件都是完备的呢！然而我们不要害怕，凡是一种学问，无论怎么样艰难，总有下手的方法。这方法就是：先要提纲挈领，晓得它的来源和大概，寻到入门的门路；然后就我们天性所近的，去细加研究。研究时当然要用泛览和精读两种功夫。

但是佛学进中国以后，发达经过几千年，却从来没有人为初学者做过入门的书。数十年中，方才有人注意到此，出了几本《佛教初学课本》、《佛教问答》等书，著者也曾做过《佛学大要》、《佛教浅测》两书，然而不是失之太深，就是失之太略。这也难怪，凡百事体，在草创的时期，这种毛病总是免不掉的，如今做这部书，就是要达到详略得当、文理明白，叫读者容易了解的地步。

第三节

佛学和学佛要分清楚

佛学与学佛是两件事

佛学是一件事，学佛又是一件事，二者骤然看来没有分别，实则大有分别，学者不可不先弄清楚。怎么叫做佛学？就是深通经典、精研教理，成为博闻强记的学者。这种全在知识方面用功的，可以叫做佛学。怎么叫做学佛？原来我佛教化众生的本意，是叫人依照他的方法去修行，得以超出生死苦海，方算成功。所以佛所说的种种经典，那是对众生的种种毛病开的药方，并不是叫人熟读这张药方里的药名，就算了事，而是要拿药吃下去，除掉病根的，病根果然除掉，这药方就用不着的了。我们可以依照佛法修行，从精神方面用功，方可叫做学佛。

"说食不饱"的譬喻

佛经上常常提到一句话叫做"说食不饱"（"如人说食，终不能饱"语见《楞严经》卷一）。这话是什么意思？是说我们饥饿时总要想吃，吃时总要想饱，那是人人相同的。倘然有一种好说空话的人们，对着饥饿的人说得天花乱坠，罗列出许多山珍海味，单有空名，并没有食物，结果枉教饥饿的人听是听得有味，腹中仍不得一饱，这就叫"说食不饱"。就是比喻佛经里面的道理穷高极深，我们单从知识方面去求广博的学理，不从精神方面去求实在的受用，那么和"说食不饱"毫无两样。所以我们要研究佛学，还是先学佛最重要。

【问题】

一、研究佛学和日常学问有何不同之处？

二、经、律、论三藏之意义如何？

第二章

佛教的背景和成立原因

第一节
佛出世前印度思想界

佛教产生的背景

大凡一种宗教的产生，必有它的背景，绝非无缘无故突然出来的。佛教当然也不能逃出这个公例。原来印度古代有婆罗门（Brāhmaṇa）教。"婆罗门"是梵音，意为净行，是事奉天神的一种宗教。他们教徒，自称为梵天的后裔，世世以道学为职业，操行清净，所以称净行。距现今四千余年以前，雅利安民族从中央亚细亚入居西北印度，渐渐迁移到恒河上游。这个地方正处温带，气候清和，物产丰富，雅利安人逍遥快乐，感谢天帝的恩宠，就生了崇拜的信念。他们以为天空的光明就是神灵的表现，便向日、月、星、辰、电光等各方面虔诚礼拜，以为可以消灾求福。因此就有了供献的祭物、赞美的祭歌。久而久之，仪式愈繁，普通的人未必能够熟习，于是有专司祭祖的僧侣，另成一种阶级，就叫做婆罗门。

婆罗门的教典

大凡原始社会的初民，没有不敬畏天神的，并且以为天神和人类差不多，都是有人格的、有意志的。婆罗门族人的思想，也是这样。他们所做的祭歌，赞美天神的伟大，认为人格化的天神含有道德的性质，对于下民，天神有行使赏善罚恶的职权。经历了较久的年代，这种赞歌和祭祀仪式就自然带有了神秘的意味。他们将这些赞歌和祭祀仪式编集成一种教典，就是古来所传有名的《吠陀（Veda）圣典》（"吠陀"译为明智）。这种圣典有四种：第一种叫《梨俱吠陀》（Rig-Veda），意译为赞诵明论，中间所收录的全属宗教的赞歌；第二种叫《沙磨吠陀》（Sāma-Veda），意译为歌咏明论，中间收录的是属于祭祀仪式的颂文；第三种叫《夜柔吠陀》（Yajur-Veda），意译为祭祖明论，中间收录的是祭祀仪式的歌词。以上三种吠陀，在祭祀天神时候，各由僧侣分别朗诵。后来又有一种，收录世俗相传的咒术，和供神却没有关系，别名叫做《阿闼婆吠陀》（Atharva-Veda），意译为禳灾明论。此种合前三种，称为四吠陀。这四吠陀是婆罗门形成宗教的圣典，也是印度古代的思想的渊泉。

婆罗门的神秘学风

婆罗门僧侣，因掌管祭祖的缘故，在社会方面，自然成为最高的阶级。因为要永久保持他们优越的地位，于是他们将从来传习的赞颂和仪式，认做是一族专有的东西，把文句定得十分详密，义理说得十分幽玄，从而形成一种繁琐神秘的学风。他们处处称天意做事，任何事件都含着秘密意味。他族的人对婆罗门自然只有尊敬，哪敢和他平等呢！然而雅利安民族慢慢地向南方迁移，占有印度全部，因风土的转移，人们思想上也发生了重大变化。这茫茫宇宙，渐渐脱离神话的范围，要向理智去探索了。这也是人类知识发展的一定的过程。所以到了吠陀末世，就有根据吠陀经典，用系统的哲理眼光去考察宇宙大原的一种哲学产生，就"梵"（Brahman）的观念加以解释，不认为它是人格的神，而认为它是抽象的绝对原理。这原理是宇宙的本体，能够出生一切万物。这派哲学，就是有名的优波尼沙昙（Upanisad）所创的唯心主义。然犹不过就吠陀思想离开神话的领域，移到哲学的领域，没有力量在吠陀思想之外另树一帜。

自然派哲学的产生

后来又有出于吠陀思想之外，主张个人自由考察而

第二章　佛教的背景和成立原因

创立的自然派哲学。起初一派，就宇宙的具体物质加以说明，如地论、水论、火论、风仙论等都是。更进一步，又有一派，就宇宙的抽象观念加以说明，如时论、方论、虚空论等都是。从此各种思潮纷纷地起来，或是合流，或是冲突，派别愈多，复杂愈甚。然而对于吠陀思想，总不外乎传统和改革两派：传统派是主张继承吠陀圣典，加以解释的；改革派是主张离开吠陀圣典，自由探索的。因此印度思想就陷入混乱状态，宗教革新机运渐渐成熟。这是佛教第一个背景。

第二节

佛出世前印度的社会

印度的四姓阶级

印度的社会，因人种、政治及职业关系，自然而然形成了四姓的阶级：就是婆罗门（Brāhmaṇa）种、刹帝利（Ksatriya）种、吠舍（Vaiśya）种、首陀罗（Sūdra）种。婆罗门译为净行，前面已经说过，因为他们专门掌管祭祀，所以占四姓中最高的位置。刹帝利译为田主，因他为世间大地的主，就是执掌政权的王种，所以居第二位。吠舍译为商贾，就是普通的人民，居第三位。首陀罗译为农人，就是被雅利安民族征服的土人，专为农奴，供田主驱遣的，所以居第四位。

婆罗门种既靠着宗教的力量，保持他们的地位，又造出种种神话。他们说四种族姓，都从梵天降出：婆罗

第二章　佛教的背景和成立原因

门是从梵天的口中生出；刹帝利是从梵天的脐中生出；吠舍是从梵天的胁间生出；首陀罗是从梵天的脚下生出。所以唯有婆罗门最为尊贵，居第一位。他们又想到要保持这阶级制度，单靠神话，力量还不十分充足，于是又制定政教混合的《摩拿（Manu）法典》。这法典既然颁布，那么阶级的分别，便格外严厉。四姓之间不但不许通婚姻往来，并且上下贵贱的种种待遇，十分不平等。

　然此阶级制度的不平，人心极端不能自由，哪里能够永久维持下去。意志薄弱的人，在这阶级压制底下，感叹身世的不自由，多倾向那厌世思想；意志坚强的人就对这宗教，起了怀疑，并有了暗地里发生反动的思想。加以婆罗门教发达到了顶点，僧侣专横，多有不道德的行为，处处失却人心。宗教革新的运动，更有爆发的势力，这是佛教第二个背景。

第三节
佛教成立的原因

理智的高等宗教

印度思想界和社会既然有了上面所说的两种背景，这时候便有大教主佛陀，应运出世，把那些混乱的思想着手整理叫它归于统一，创立理智的高等宗教。佛陀打破当时的不平等阶级，拿慈悲平等的精神来普度众生。这种革新宗教，适应了大多数人心的要求，无怪印度人民没有一个不欢迎，不久就普遍全国。

婆罗门教是完全建筑在神秘上面的，那些传统派和改革派，又各是其是，各非其非，学理的根据既不确实，对于人生的苦痛也没有真正解脱的方法，哪里能够和佛教抵抗呢！所以佛教一经成立，婆罗门教和各派哲学都不能立足，几乎到了销声匿迹地步。因为佛教是佛陀从

第二章　佛教的背景和成立原因

自己心内实证得到的，不似婆罗门教和各派哲学是从心外追求的，于是当时的佛门中人就称佛教为内学，称它教为外道。

佛教的平等精神

印度的阶级制度中，最受压迫，丝毫得不到自由的，就是居第四位的首陀罗贱族。然而这一等贱族在四姓中间占了大多数，哪里肯安心久受压迫呢？不过世界上凡是受压迫的民族，如果本族的人起来号呼，要求平等，他的力量往往是事倍功半；唯有他族的人仗着人情公理，起来代抱不平，登高一呼，自然众山响应，力量的宏大不单是事半功倍，并且有意想不到的结果。佛陀的打破四姓阶级正是这个例子：原来佛陀是刹帝利王种，是次于婆罗门的贵族。贵族的人站出来主张贱族应当平等，除了婆罗门一族外，哪里还有不赞成的呢？所以佛教不单是教理远胜于他教，就这主张平等的举动也是受大多数人的欢迎的。

【问题】

一、婆罗门教的内容如何？

二、印度哲学有几派？

三、印度四姓阶级的由来？

四、佛教如何可称高等宗教？

五、佛陀对于阶级观如何？

第三章

释迦牟尼史略

第一节

释迦成道以前的状况

释迦牟尼的意义

前面第一章中间所说的"佛陀"，那是一种通称。实则这创立佛教的大教主，叫做释迦牟尼（Śākyamuni）。"释迦"是种族的名称，意译就是能仁。"牟尼"的意思译为寂默贤人，这就是说他是释迦种族中的寂默贤人。他实在的姓叫乔答摩（Gautama），意译就是地最胜。因为印度上古有创作吠陀赞颂的婆罗门，名叫瞿答摩（Gotama），就是释迦的始祖，所以拿他的名做姓。他实在的名，叫悉达多（Siddharthā），意译就是成就。然而通常的称呼，总是叫佛陀或叫释迦牟尼，乔答摩·悉达多的真姓名，倒不大用了。拿中国的旧称呼来比，那么"佛陀"犹如称"圣人"，"释迦牟尼"犹如称

"孔子","乔答摩·悉达多"犹如称"孔丘"。可是我们常用得着的,就是"圣人",就是"孔子",孔丘的真姓名,也是不大用的。

释迦的降生

释迦种族聚居在中印度罗泊提(Rapti)河的东北,分成十家,十家各占一小城做小城的君主。这许多小城中间,唯迦毗罗卫(Kapilavastu)城顶有势力,城主名叫净饭王(Suddodana),就是释迦牟尼的父亲。和迦毗罗卫城隔河相对的有拘利(Kōli)城。两家王族,彼此向来通婚嫁,所以净饭王也依着旧例娶了拘利城主的两女做王妃,长的叫摩耶(Māyā),次的叫波阇波提(Prajāpati)。摩耶夫人到了四十五岁方才怀胎。他们的土俗很稀奇,女子怀胎足月就必定要回到娘家去生产,可是摩耶夫人回娘家时候,到得半路,就要生产了。这地恰巧有一座别庄,叫蓝毗尼(Lumbini)园,是拘利城主替他的夫人所盖的。摩耶夫人就在这园中娑罗树(Sāla)底下产生悉达多。产生的日子,是公元前565年4月8日,太阳初出的时候。但是摩耶夫人生产以后,经过七天就病死了。这悉达多太子,是他的姨母波阇波提夫人抚养成人的。

释迦以太子出家

悉达多太子天资聪明，七八岁时候跟从婆罗门的学者受文事教育，世间一切的学问，没有他不知晓的。又从武士学习诸般武艺，膂力也胜过别人。他做太子的时候，有一天同着诸王子出城比武，忽然有一只大象拦住城门，诸王子都不敢前进，他就不慌不忙跑到门口，两手把象举起向门外掷出，更飞步向前又把象接在手中。这是何等的本领？拿世间的眼光看来，他既是王太子，又抱着这等文武全才，真是享尽人间的富贵，哪里还有丝毫不满足呢？但悉达多这人却也奇怪，他一眼看清人间生、老、病、死的苦痛没有法子可以解脱，从小就是如此。他把这件大事体，刻刻放在心中，要想出家。净饭王知道了大吃一惊，赶紧在他十六岁时候就替他娶了耶输陀罗（Yaśodharā）做妃子。耶输陀罗也是拘利城主的女儿，后来生了一个儿子，叫罗睺罗（Rāhula）。此外，净饭王还想尽方法在太子的宫中陈设种种娱乐，选择城中的许多美女，叫她们侍候太子。然而，这太子毫不在意，到十九岁时就决计出家修道。

第二节

释迦成道的时期

释迦先修苦行后成正觉

释迦出家以后，就去访问婆罗门教中的学者，想学他们的解脱的大道。他先后访过三人，初访隐居在森林中的跋迦婆（Bhārgava），次访阿罗逻·迦兰（Ārālah Kālāma），再访郁陀迦·罗摩子（Udraka Rāmaputar）。这些都是仙人，大概以生前修苦行，死后升天上，为解脱法门。释迦以为死后升天仍旧不能超出生死，对于他们这等大道，自觉不能满足，就自己跑到东北方尼连禅河（Nairannjanna）旁边苦行六年，每天只吃一麻一麦，弄到身体削弱，仅存皮骨，结果仍旧一无所得。他忽然明白苦行的徒劳无益，就跑到尼连禅河边，洗洗身上多年的积垢，在那里遇着一个牧牛的女儿，拿牛乳送给他吃。吃了以后，释迦感觉身体和精神渐渐恢复原状，于是又跑到佛陀伽耶（Buddhagaya）地方的毕波罗（Pippala）树（就是后世所称的菩提树）底下，铺吉祥草，东向跏趺而坐，端身正念静默思惟，自己发大誓愿说道："我今若不证无上大菩提，宁可碎是身，终不起此坐。"（《方广大庄严经》第八）。无上，是无可再上的意思；大菩提，是大智慧。释迦发这大誓愿，是说我如今若不能证得无上的大智慧，宁可粉碎这个身体，终久坐在这处，决不起来的。下了这等大决心，到七七四十九天半夜，静坐时候，忽睹明星照破黑暗，心中豁然大悟，就成功了无上的正觉。这是十二月初八日，总计释迦自十九岁出家，修行十二年方能成道的。如今僧寺中，于腊八日用菜果和米，煮粥送人，叫做腊八粥，民家也多在这日煮粥，成了一种风俗，就是纪念释迦成道日子的。

正觉的内容

这正觉的内容，究竟觉悟的什么呢？就是从内心的观察，探着我们生、老、病、死的苦痛的根源，对于人生的问题，有圆满的解答。他的答案，就是下面两件事：

一、请问人的生、老、病、死和一切的不自在，究竟从哪里来的？

就答道：这完全从烦恼来的。替这烦恼起个名词，叫做无明，就是不明白真实的道理的意思。

二、请问用怎么样的方法就可以解脱人生的一切不自在呢？

就答道：要从内心思惟的禅定功夫，得到大智慧，豁破无明，就可以得到解脱。

这就是释迦亲自证到的正觉。既然得这正觉，所以看看有生命的众生都是一律平等，自然要打破四姓的阶级，又看这众生被无明所迷，长久沉沦在生死苦海中间不得出头，自然要抱着悲悯的心肠起来超度众生了。佛教的根本原理，就是如此，所以它是建筑在理智上的伟大宗教。

第三节

释迦的转法轮

转法轮的两种意义

释迦说法度众生，叫做转法轮。这转法轮有两种解释：第一种解释，"法"字的意思，是法律、法则，就指一切万有的真理基础而言；"轮"字是印度古代战争时候，所用轮状的武器，这武器所向无敌，如今拿来比喻佛陀所说的法独得真理，一切邪说异论都被他摧破无余，所以叫做转法轮。佛陀初次所说的法，方得称转法轮，以后就不过是重复申说罢了。第二种解释，就谓佛陀所说的法，常常能够摧破一切邪说异论，不管先后，总叫做转法轮，不必限定初次所说的（见昙无谶所译的《大般涅槃经》第十四）。

第三章　释迦牟尼史略

释迦游化的地方

释迦成道以后四十五年中，游化四方，说法度众生，从来不曾间断。他足迹所到的地方很多，如北方雪山脚下的迦毗罗卫城、西方的拘睒弥（Kauśambi）城、东方的瞻波（Campā）城、南方的婆罗捺斯（Bārānasi）城，这些国度大都在恒河流域，释迦都曾到过的。各城主中间，对于佛教，大都十分信仰，尤其是摩揭陀（Magadha）城的频婆沙罗（Bimbisāra）王和舍卫（Srāvasti）城的波斯匿（Prasenajit）王。他两人诚心诚意地保护佛教，更是无微不至。因为释迦的信徒，一天多一天，他们就拿自己的园林住宅供献给佛陀做道场，有好多处。这中间顶大而有名者：一是王舍（Rājagrha）城附近的竹林精舍（Venuvana）。竹林精舍建筑在原名耆阇崛山（Ghridhra-kūta）的灵鹫山中，那是摩揭陀城的长者迦兰陀（Karanda）皈依佛教以后，在释迦成道的年头拿自己的竹园供献于佛所建立的。这精舍是印度最初建立的僧园，又叫做迦兰陀精舍。精舍的意义就是精进修行、息心养静的地方。另外一个是舍卫城的祇洹精舍（Jētavana），那是舍卫城的给孤独（Anātapindika）长者在释迦成道的第二年，向波斯匿王太子祇陀（Jēta）购买的园林所造的，所以又叫"给孤独园"。此外，国王和长者供献的园林殿堂极多，不必一一列举。总之释迦说法，在以上两精舍时候为最多。

释迦的出家在家的弟子

释迦游行教化，在成道的第一年，已经有弟子千余人。上自国王、贵族，下至乞丐、妓女，如诚心弃邪归正，他没有一个不收受的，所以弟子的数目，多至不可胜计。起初专收男人做弟子，这种团体，叫做僧伽，就是大众的意思，后来释迦的姨母波阇波提夫人也出家做尼姑，因此便收受女弟子。男子出家的叫"比丘"，比丘二字，意译为乞士，这"乞"字对上面说是向佛陀乞法以治心，对下面说，是向世俗乞食以养身。乞士含有两种意思：出家修道的人不准私蓄财产，专恃乞食度日的，但和乞丐不同，乞丐是只知道乞衣食，不晓得乞法的。女子出家的叫做"比丘尼"，"尼"字在梵文上是表显女性的声号。还有不出家而在家信奉佛教的男女，男叫"优婆塞"，女叫"优婆夷"，就是清信男、清信女的意思。出家的男女，叫做出家二众，在家的男女，叫做在家二众，总共称为四众。

第四节
释迦的入涅槃

涅槃的意义

"涅槃"二字是梵音,译为灭度。灭度就是消灭生死的因果,度过生死的苦海,得到解脱,永远不再受生死苦痛的意思。我们前世造因,今世结果;今世又造因,来世又要结果。生生死死,犹如车轮旋转,永没有完了的。释迦教化众生,超出这生死苦海,他老人家自己先要留个模范,叫人可以学步,所以到八十岁时候他就表现了涅槃的相貌。如今寺院里所塑的卧佛,就是释迦的涅槃相。

释迦最后一次的游行

释迦到八十岁的高年,自己觉到教化众生,因缘已了，因此从王舍城向拘尸那揭罗（Kuśinagara）地方做最后一次的游行。他又率领弟子渡恒河，到摩揭陀国的毗舍离地方时，正好碰到雨期。原来印度天气，从四月十六日起的三个月里为夏季，这时候多雨，称为雨期。佛教徒在这三个月内禁止外出，专心坐禅修学，这种制度叫做"安居"。释迦就打算在毗舍离安居三个月再去。又因为这地方刚刚碰着荒年，随从弟子人数众多，不容易得到食物，释迦就叫大众各自分散，独与阿难陀（Ānanda）在这里安居。这时释迦已经有病，想想许多弟子都不在面前，不应该就入涅槃，于是自己支持以待他们。等到安居期满，释迦又向西行，到波婆（Pāvā）城时，有个金工名叫纯陀（Cunda），他供献旃檀树耳给释迦吃。释迦吃了，病更严重，立刻回到拘尸那揭罗的跋提河边沙罗双树中间。一日一夜，他说完一部《大般涅槃经》，接着头向北，面向西，右胁侧卧，于二月十五日入涅槃。释迦临灭时，嘱咐阿难陀说："汝谓佛灭度后，无复覆护，失所恃耶！勿造斯观，我成佛来，所说经戒，即是汝护，是汝所恃。"（见《长阿含游行经》第二后分）又告弟子："无为放逸！我以不放逸故，自致正觉；无量众善，亦由不放逸得；一切万物，无常存者。"（同上）这是释迦最后的教诫，他对弟子的叮咛恳切，到如今还可以想见呢。

释迦灭后，照佛家的规矩应用火葬，名叫荼毗。这时高足弟子大迦叶，尚在灵鹫山，诸弟子大家商量，以为葬事很重大，要等迦叶到后，方可举行。经过七天迦叶也赶到了，就举行荼毗的葬礼。于是摩揭陀国人和释迦同族的八国人，共分释迦遗骨回去各自建造宝塔。时在公元前486年，距今二千四百二十余年。

【问题】

一、释迦何故要出家？

二、什么叫正觉？

三、法轮的解释如何？

四、释迦游行所到地方有几处？

五、临灭时的教诫如何？

第四章

佛教的立脚点和基本教义

第一节

佛教的立脚点

人生苦痛多快乐少

佛教的立脚点在于人生的多苦观。人们在世间，匆匆然度过一生，寿命极长的，也难得超过百年，短的就不过几十年，极短的不过几岁就夭折了，甚至于一出母胎就死了。不论寿长寿短，倘若将人们从生到死的几十年中经过的日子全部加起来，那么是快乐的日子多呢？还是苦痛的日子多？回头一想，任何人也能回答这个问题，他们必定要说：苦恼的日子，总比快乐的日子多。是的，这就是人生的多苦观。不提起也就罢了，一提起来，是人人都能觉得到的。

第四章　佛教的立脚点和基本教义

宗教大都是解决人生问题的

痴愚的人，糊里糊涂虚度一生，一切不去管他，倒也没有什么问题。至于稍微聪明的人，就要对这个人生问题起怀疑。怀疑什么？就是人为什么要生在世间？既然生在世间，为什么要受这种苦恼？这问题真不容易解决，凡是宗教，大都为解决这个问题而起的。有的说是世界最初的人不听上帝的话，所以有罪恶苦恼；有的说是人们做事违背天意，所以要受难。但这是不彻底的解决，有知识的人是决不肯相信他的话的。

生老病死

人们的苦恼，实际的情状，究竟是怎么样？大概不外乎生、老、病、死四大段，如今且逐段来研究一下：

（1）生苦。骤然看来，生活是很快乐的，怎么一出母胎就苦起来呢？这是我们素来不明白的，一经说穿，就的的确确是苦的了。试想母亲肚里怀胎，胎盘是极其窄狭的，胎儿蜷曲在中间，起初就要受尽压迫的痛苦，渐渐长大，压迫的痛苦也随着增加。母亲喝热汤时候，犹如沸水浇身；喝冷水的时候，犹如寒冰着体。并且逼近肠脏膀胱，胎儿是饱尝脓血尿屎的臭秽，不过自己不能说罢了，这是受胎时的苦楚。至于出胎时候，突然离开温暖的母腹，触着周围极冷的空气，所以胎儿必定要大叫大哭。他的柔嫩皮肤，要拿衣物去包裹，就和尖锐东西来锥刺他一样的痛。这时婴儿虽不会说，却已经能哭叫了，这明明是出胎时的苦楚。出生以后，在世做人，境遇是有穷有富，地位是有高有低，相貌是有美有丑。种种环境，都是惹起苦的根源，总名叫做生苦。

（2）老苦。人生从幼年到壮年到老年，光阴如箭，一去不回，看看是精力强盛的青年，曾几何时，已入衰老的境界了。《楞严经》（卷二）里描写波斯匿王自伤衰老的一段文字最能叫人惊心动魄，今把它录在下面："我昔孩孺，肤腠（音凑）润泽，年至长成，血气充满，而今颓龄，迫于衰耄。形色枯悴，精神昏昧，发白面皱，逮将不久……变化密移，我诚不觉，寒暑迁流，渐至于此。"老景催人，就在不知不觉的时候慢慢地逼上来，真是无可奈何的事。这叫做老苦。

（3）病苦。世间不论何人，有了这个肉体就总是免不了病痛的。任凭你身体如何强健，病魔一来，就要叫你呻吟痛楚，卧床不起。至于体弱多病的人，更不必说了。病的种类虽多，但最大的原因，总在身心两方面的不调和，如身体受寒暑，就不能让血液循环流畅。心中有烦恼悲哀，也能影响到血液，叫它停滞，到这时候，病魔就乘虚攻入了。讲究卫生的人，病痛就相对少些，然而总没有一世不生病的。这叫做病苦。

（4）死苦。提到死字，是人们最害怕的，然而尽管害怕，谁也不能跳出死的关头。最有幸福的，是享得到高年，寿尽而死；其余或是因病而死，或是遭刑戮、水、火、刀、兵而死，死路虽不是一条，归根结底，终是一死。死期将到，这一苦非同小可，就叫做死苦。

　　除以上四苦外，人们的苦痛尚多，说也说不尽，姑且不赘。今要问究竟有没有避苦得乐的方法？那么可爽爽快快回答道：有的。佛教的大目的，就是解决这个生死大问题，这问题若能解决，一切的苦，就没有了。要知道佛家如何能够解决这个问题，应看下文所讲的教法。

第二节

佛家的教法

自造因自受果

释迦在菩提树底下，静坐思惟的结果，彻底明白人生多苦的原因，完全是人们自己造业自己得果，和上帝并没有相干。我们这个躯壳，就是过去世自己造作的苦因，今世结成的苦果。根本上既然是个苦果，无怪乎生、老、病、死的苦痛，没有法子可以避免了。然而人们不晓得这个道理，今世又造下许多苦因，未来世又要结成苦果。所以生生死死，都是因果的连属关系，听其自然，是永没有了期的。释迦所成的道，就是解脱生死的法门，这法门就是断除生死的连锁，达到不生不灭的涅槃境界。详细说来，有四谛、十二因缘、六度三种的教法。

第四章　佛教的立脚点和基本教义

四谛

什么叫做"四谛"呢？"四谛"是苦、集、灭、道。"谛"字是审察的意思，是说审察这四种道理，实实在在，是丝毫不虚的。世间一切都是苦，就是无意识的大地山河，也时时刻刻在那里变坏，如陵谷变迁，是我们知道的。至于有生命的人们，身心两方面的变坏，以及环境的压迫，最显明的生老病死苦痛，上文已经说过了。所以我们一举一动，没有一处不受因果支配的，观察这等道理，实在不虚，就叫苦谛。

既然知道这苦果，就要研究结成这果的原因。这原因是什么？就是过去世的惑和业。什么叫惑？惑就是烦恼，分别说来，就是贪、嗔、痴。人们对于饮食、男女、名利，没有不贪的；然而虽有贪欲，未必尽如我们的意，有求便得，遇到求不得的时候，就要发嗔了，这嗔怒最足以害事的。切实说来，所以要贪要嗔，无非是不了解我身我心以及世界都是变幻无常的。迷误了这个真理，自己去找寻烦恼，这不是十分的愚痴吗！这就是痴。贪、嗔、痴三种是人们一出生就带来的，所以叫根本烦恼，也叫三毒，也叫做惑。这惑不除，就要发现在身、口、意方面而造成三业。譬如人们为贪得财货，最初必先起意，叫做意业；起意取这财货，就要进行，或出之于口，向人请求，叫做口业；出口请求，尚得不到手，更要用别种方法，甚至用不正当的手段去偷盗，叫做身业。这是单就恶业而言。其实从身、口、意方面发现的善事，也叫做业。然而没有贪、嗔、痴的三毒来帮助它，这身、口、意三业，是不会自己发动的。聚集这种惑和业，就是造成今世苦果的原因。观察这种道理，实在不虚，就是集谛。

明白了惑和业集成苦果的道理，就要想法灭却这种苦痛，进入究竟安稳的涅槃境界。观察这种境界，真实不虚，就是灭谛。要到达这涅槃境界，必须修道方可。道有几种，也叫做八正道：一、正见，二、正思惟，三、正语，四、正业，五、正命，六、正精进，七、正念，八、正定。

确实见到四谛的真理，就是正见；思量推求四谛的真理，就是正思惟；一切妄言恶语，不出于口，就是正语；离开杀生、偷盗、邪淫等恶，就是正业；人们必求生活，以养他的命，然应该做正当的职业，不宜用邪术骗取金钱，就是正命；既知修道，不可懒惰，必须勉励努力，向前进行，就是正精进；不论行、住、坐、卧，念兹在兹，常注意在正道，不起邪念，就是正念；修道最紧要的功夫，要入禅定，就是正定。观察这种修道功夫，真实不虚，就是道谛。

佛弟子中间有亲自听见佛说四谛的道理，修行成就的人，就叫声闻。声闻修成的果，叫做阿罗汉。"阿罗汉"是梵音，"阿"字译为不，"罗汉"译为生，是说他修成这果，永不再生这恶浊世界。

十二因缘

　　什么叫十二因缘呢？如今拿因缘的意义先弄明白，再来研究这十二个名词。原来释迦在成道时候，静坐思惟，所得到的最精最确的道理，就是宇宙间不论有生命和无生命的东西，都是内因外缘，凑合成功，并没有上帝在后面做主宰。这些东西的本身，也没有永久不变的我体，无非是因缘凑合就生，因缘分散就灭，生生灭灭，相续无穷，就是宇宙万有的总相。我们随便举件东西来说都可证明因缘的理，如饮茶的茶杯，怎样做成的？就是泥土做它的因，人工、水、火做它的缘，因缘一朝凑合，就做成茶杯。倘若有因没有缘，或有缘没有因，这茶杯是永久做不成的。茶杯用久了，或一朝失手坠地，就因缘分散而归于破灭。不论什么东西，都可用这因缘的方式去解释。无生命的东西，固然如此，就是有生命的人们，也是因缘凑合成功的。

　　这十二因缘，就是拿人们从投入母胎以至出生到老死，分作十二段去观察，也可说是佛家的人生观。也就是将苦集二谛详细说个明白。这十二个名词是什么？列在下面：

　　（1）无明，（2）行，（3）识，（4）名色，（5）六入，（6）触，（7）受，（8）爱，（9）取，（10）有，

（11）生，（12）老死。

无明，是不明白真理，就是痴，也叫做惑。

行，是身、口、意三方面的造作，有时做善事，有时做恶事，有时做不善不恶的事，也叫做业。上文说集谛时候，不是曾提及过去世的惑和业是造成今世苦果的原因吗？可知无明和行，是拿集谛分开详说，是人们过去世所造的二因。

识，是心上的分别作用，凡是有生命的人，他的肉体尽管死灭，他的心识却是不灭，又会去投胎的。拿现在通行的话来讲，这心识仿佛是像灵魂，灵魂被过去世的惑业所驱迫，碰到父母交合时候，就会去投胎。所以人们是识为因，父母为缘，因缘凑合而成人的。

名色二字，名就是指心说，色就是指身说。为什么不叫身心，要另起这名色的名词呢？是因为投胎以后，精神和物质慢慢地结合，长成胎儿。这时心识既极其暗昧，形体也没有完全，所以不叫身心，叫做名色，就是身心没有完全时的称呼。

六入，就是眼、耳、鼻、舌、身、意的六根。人们眼能看见色彩，耳能听见声音，鼻能嗅着香臭，舌能尝着滋味，身体能觉得痛痒等感触，心意能思想一切事事物物，这叫做六根。胎儿在母腹中几个月，慢慢地长成这六根，稍微能够有点感入，但是作用并没有完全，所以另起个名词，叫做六入。

触，就是感觉，是指出胎以后至两三岁的婴儿，能接触外境，起极简单的知觉，不能分别孰是苦孰是乐，并不起爱憎的感情，所以单叫做触。

受，是指四五岁至十四五岁时候，心识逐渐发达，能领受环境，起饮食玩具等希望，遇顺境就晓得快乐，遇逆境就晓得苦痛，随时起爱憎的感情，所以叫做受。

从识至受共五段，是拿苦谛来分别详说，是人们现在世所结的五果。

爱，是十六七岁时候，贪恋财货女色，生种种的欲望，贪恋不已，执著在心，不肯放舍，所以叫做爱。

取，比爱更进一步，是成人以后，贪爱的心增长，必定取得到手，方能满他的欲望，于是广造身、口、意三业，这叫做取。

有，是现在世既然造业，必定又有将来的苦果，所以叫做有。

爱和取是现在世的惑，有是现在世的业，和过去世的无明、行，是一样的，也是拿集谛来分别详说，这是现在世所造的三因。

生，是说既有现在世所造的因，那么未来世又免不了要去投胎的，这叫做生。

老死是说未来世既然投胎受生，又免不了要死灭的，这叫老死。

生和老死，也是拿苦谛来分别详说，这是未来世的两果。

这十二因缘，通过去、现在、未来三世。从过去的两因，生现在的五果；又从现在的三因生未来的两果；我们生生死死，轮转不已，叫做轮回，根本不外乎惑和业为因，造成生死的苦果。释迦说明这等人生观，真能抉出生死的大原，不是他种宗教所能及得到的。今再以表明之如下：

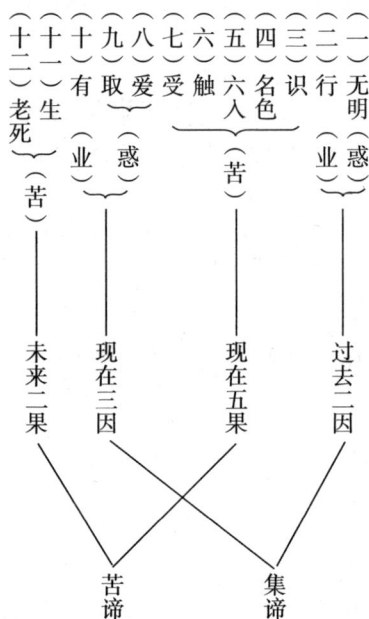

十二 老死（苦）
十一 生 ⎱ 未来二果
十 有（业）
九 取 （惑）
八 爱 （惑）⎱ 现在三因
七 受
六 触
五 六入 （苦）
四 名色 ⎱ 现在五果
三 识
二 行（业）
一 无明（惑）⎱ 过去二因

苦谛　　集谛

　　这十二因缘，就是详细说明苦集二谛，看上文便可明白。人的一生，无非是内因外缘凑合而生，了无实实在在的我。这因缘的最初一念，是无明。可知若能灭除无名，其余的缘也必随之而灭，这生死的连锁，不怕它不断了，就是灭谛。既知道无明可灭，必须用实的智慧观察这十二因缘，努力修道，方可灭除无明，了脱生死达到涅槃，就是道谛。

佛弟子中间，有比声闻聪明的人，不必亲听佛说，独自观察十二因缘的理，也能修行成功的，这叫做缘觉。他修成的果，叫做辟支佛。"辟支"是梵音，旧译为因缘，新译为独，"佛"是觉义。辟支佛，就是缘觉，也就是独觉。

六度

什么叫做六度呢？六度的梵音叫"六波罗密"，"波罗"二字译为彼岸，"密"字译为到。是说修这六种法门，可从生死大海的此岸，度到涅槃的彼岸，所以叫做六度。六度的名词如下：

（1）布施，（2）持戒，（3）忍辱，（4）精进，（5）禅定，（6）般若。

这六度是菩萨所修的，菩萨的梵语，是"菩提萨埵"（音朵）。"菩提"是智慧，"萨埵"是众生。是说他拿智慧去上求佛道，拿慈悲来下救众生，简单称呼，就叫菩萨。前面声闻、缘觉两种人，只晓得度自己，不晓得度众生，局量狭小，所以叫小乘。菩萨修行，看众生和自己一样，要先度众生，后度自己，局量广大，所以叫大乘。

正惟菩萨的修行，不单为自己，所以第一就是布施。布施有两种：一是财施，是拿衣服饮食等和生活所需要的一切东西，随着自己力量，施送于他人；二是法施，是拿自己从诸佛及善友处听得的法门，以清净的心肠，转为他人详说，并不希望报酬的。这两种总叫布施。

其次是持戒。持戒是防止身、口、意的恶业的。戒的根本有五种：不杀、不盗、不淫、不妄语、不饮酒。

次是忍辱。忍辱有二种：一是生忍，是菩萨对于同类的人而发的。如有人对他恭敬供养的时候，菩萨丝毫不生骄怠心；有人对他嗔骂打害的时候，菩萨丝毫不生怨恨心；二是法忍，是菩萨对于不同类的自然大法而发的。如遇着大冷、大热、大风、大雨的时候，又如遇饥饿口渴的时候，平常的人必定要苦恼忧愁，不能忍耐，菩萨就能安然忍受，丝毫不起烦恼，这两种总叫忍辱。

次是精进。精进有二种：一是身精进，勤修善法，或礼拜，或诵经，或对人讲说，无论什么时候，自身一点不肯懈惰；二是心精进，勤行善道，心心相续，自心一点不敢放逸。这两种总叫精进。

次是禅定。禅定是扫除一切妄念，专心注定一个正念，这是佛家最重要的功夫。

最后是般若。"般若"是梵语，译为智慧，这智慧是在禅定功夫很深时候才发生的。通晓一切诸法（佛经中凡一切事事物物，均称为法）叫做智，断惑证理叫做慧，决不是平常所说的聪明智慧可比，所以独用"般若"的译名，叫人知道佛家所说智慧和平常智慧，大有分别。

第四章　佛教的立脚点和基本教义

这六度就是四谛中的道谛，不过是更加积极的利他善行，和声闻、缘觉，只晓得自利的，广狭不同罢了。佛弟子中间，修这六度得到大涅槃果的，就叫菩萨。

【问题】

一、佛教的立脚点在什么地方？

二、生、老、病、死的苦痛，有解除的方法么？

三、因果是谁造谁受？

四、怎样叫声闻？

五、怎样叫缘觉？

六、菩萨是怎样修成的？

第五章

释迦灭度以后弟子结集遗教

第一节

第一次结集

　　释迦在世说法四十九年，都是以身作则，拿他的修证功夫，随时指导徒众，从没有写出一言一句的文字。到释迦灭度以后，大迦叶（Mahākāśyapa）代佛统率大众，有一痴比丘说道："释迦在世时候，常常要拿戒律来约束我们，说某事应该做的，某事不应该做的，我们极不自由，今后可以为所欲为了。"这句话被大迦叶听见了，以为释迦灭后，不可不将他老人家的遗教制为成典，庶几可永远做教徒的指导。于是就在佛灭后的第四月安居期内，选学德并高的比丘五百人到王舍城附近的毕波罗窟（Pippala）里面，从事第一次的结集。王舍城是摩揭陀国的首都，这国度里的阿阇世（Ajātaśatra）王，本来是佛教的信徒，听见这种事，大为赞成，供给他们一切饮食卧具等，予以种种的便利。因此这五百人，得以安心从事结集工作，经过七个月，这事方才完毕。

第五章　释迦灭度以后弟子结集遗教

经藏和律藏的结集

结集的本意，实在就是会诵，为的是佛灭以后，恐有异见邪说混乱佛法。所以结合有学有德的比丘，各自背诵释迦佛在世时所说的法，经过大家讨论决定，然后集成为经典，所以叫结集。当时结集的仪式很庄重。大迦叶升坐上座。因为阿难陀（Ānanda）在佛门中素有博学多闻的盛名，由他诵出经藏，上座对他诵出的文句，发出种种问难，阿难陀一一回答，详记这经是佛在什么时候什么地方对于什么人所说的，并且佛说这法的时候，随从的徒众有多少，也一一记出。大家听了，公认为没有错误，然后定为佛说。其次优波离（Upali）在佛门中，以严守戒律著名，便由他诵出律藏，上座对他诵出的文句，也一一发问，他也一一回答，和阿难陀一样。大家听了，公认为没有错误，然后定为佛制。

对于这第一次结集后人有种种异说，大都以为既有两人，一诵出经藏，一诵出律藏，那么一定还有论藏。这论藏是谁诵的呢？于是有的说是迦叶自己诵的，有的说是阿难陀诵的。其实经、律、论三藏的名称，是后人所加，经是实际修行的法门，律是止恶修善的戒律，论是对佛教的解释研究。当第一次结集佛教时候，当然只有法（经藏）和律（律藏），至于解释研究，一定出自后人的手，因而有三藏的名称，所以当时未必有论藏，实是毫无疑义的。

《四阿含经》及其内容

阿难诵出的什么经呢？大概就是今日所传的四种阿含经。"阿含"是梵音，译为无比法，就是说没有可以比类的妙法。这四种阿含经是《长阿含经》、《中阿含经》、《增一阿含经》、《杂阿含经》。

这四种经是释迦初成道时候所说。《长阿含经》是破斥婆罗门教的邪见；《增一阿含经》是说明人们修世间的种种善事，造下了善因，来世能投生人道或天道而受善的报果；《中阿含经》是进一步说人们能修出世间的善因，来世就能超出生死大海，而得涅槃妙果；《杂阿含经》是说明世间的禅定（禅定有世间禅、出世间禅的分别，佛教的禅定，是出世间禅）和佛教涅槃有关系的。

《八十诵律》为戒律的根本

优波离诵出的是什么律呢？就是《八十诵律》。因为他在九十日的中间，每日升座诵一次，逐日诵出几多戒条，经过八十次而完毕，所以名《八十诵律》，是为佛门一切戒律的根本。后人从这根本律，推演而成《四分律》、《五分律》等，这些律本流行，《八十诵律》就不复存在了。

第二节
第二次结集

戒律的十条争议

释迦灭度后一百余年，有毗舍离（Vaiśāli）城的七百比丘结集，通常称为第二次的结集。这次结集，和前面第一次、后面第三四次的结集，性质全然不同。单为戒律上的十条争议，四方圣众，会合在毗舍离城，裁判这事，与会的人数有七百，所以也称七百集法。

毗舍离城的北方，有跋耆（Vajji）城。这两城中的僧侣，往往违背佛的戒律，于每月八日、十四日、十五日，盛水满钵中，持向人多的地方，指钵水对众说道："有投钱这水中的人，可得到吉祥。"经过的白衣男女，有听信这话而投钱的，也有怪出家人不应贪取金钱的。这时有长老耶舍（Yaśas）巡游至此，以为佛的戒律，出

家人不应受蓄金钱，如今两城比丘，公然违背，大不以
为然，便向在家、出家两众双方劝告道："出家人应遵
守佛戒，不该受蓄金钱；在家人也应遵守佛戒，不可拿
金钱布施。否则受的人，施的人，都有罪过。"多数僧
侣，不但不肯听耶舍的话，反怨恨耶舍，在俗人面前，
诽谤出家人。并且彼等违背戒律，尚不止这一事，总计
有十种非法行为，今依《五分律》举其名称如下：

一、盐姜合共宿净

二、两指抄食净

三、复坐食净

四、越聚落食净

五、酥油蜜石蜜和酪净

六、饮阇楼伽酒净

七、作坐具随意大小净

八、习先所习净

九、求听净

十、受蓄金银钱净

净字是清净的意思。上面十事，依照佛的戒律，是
不清净，不应该做的。但毗舍离和跋耆两城的比丘，他
们以为是清净，可以行的。

照佛戒，比丘托钵求食以维持生命，倘若所乞的食，
不能吃完，有所剩余，就应该转施他人，不应贮食过夜，

是名余食法。如今这班比丘，以为拿盐和姜合共的物，就可留宿至明天再食，叫盐姜合共宿净，这为非法的第一件事。

佛的戒律，过午刻就不许进食，是谓非时食戒。这班比丘以为刚刚过午，日影偏斜，仅到两指并列的长度，还可以吃的，叫两指抄食净。指抄就是指尖的意思。这为非法的第二件事。

佛戒，一次吃后，不得再吃第二次。这班比丘，以为再坐下去吃一次，也是不妨，叫做复坐食净。这是非法的第三件事。

佛戒，吃过饭以后，或出外到村落地方，人家又来供食，就应该照余食法，转施他人。这班比丘，以为人家既然供食，不妨再吃，叫做越聚落食净。这是非法的第四件事。

干结的牛奶油，叫酥油蜜，白砂糖凝结成块如石的，叫石蜜。午后食物，既犯非时食戒，这班比丘，以为拿酥油蜜、石蜜，和人干牛奶（酪）做饮料，是饮而不是食，不算犯戒，叫酥油蜜石蜜和酪净。其实酥油、干酪，明明是食物。这是非法的第五件事。

佛戒，不许饮酒。这班比丘，以为酿而未熟的酒，可以饮用，不算犯戒，叫做饮阇楼伽酒净。"阇楼伽"是梵音，就是酒酿。明明是酒，哪里可算不犯戒呢？这是非法的第六件事。

佛制，制作座具，大小有一定的尺寸。这班比丘，以为何必限定尺寸，可随自己的意思制作座具，叫做作座具随意大小净。这是非法的第七件事。

佛制，既出家后，应该舍弃从前在家时候所学习的事。这班比丘，以为在家时候已经学习过的事，不妨再做，叫做习先所习净。这是非法的第八件事。

佛制，凡一切仪式作法，当随僧众全体，共同行之。这班比丘，以为不妨在另一地方单独行这仪式，然后请求僧众的允许，叫做求听净。这是非法的第九件事。

佛制，不许受蓄金钱。这班比丘，以为不妨受蓄，叫做受蓄金银钱净。这是非法的第十件事。

耶舍眼见这班比丘违法，于佛教前途，关系甚大。于是奔走西方各地，历访当时的大德，同赴毗舍离城以裁判这十事的是非。毗舍离、跋耆两城的僧侣，也结合同党以相抵抗。于是分为东西两党。西党是耶舍一方面的长老，东党是两城的僧侣。两党各举代表四人，开会讨论，结果断定这十事为非法，以为东党的行为，违背佛制，应加摈斥。然东党多少年进取一派，人数较众，于是别成一团体，得名为大众部。西党承佛的正统，其中多是高年硕德，得名为上座部。这是第二次结集的情形，也是根本佛教分裂为两派的开始。

第三节
第三次结集

阿育王时佛教的隆盛

释迦灭度后二百余年，中印度有统一全印武功文治震耀一世的阿育王（Aśoka）出世（公元前264—前226年在位）。他对于佛教，异常信仰，不但保护本土的佛教，并且派遣传教徒，到别国去宣扬正法。所以佛教到阿育王时代，隆盛无比。阿育王因信佛的原故，对于佛教徒的供养，十分丰富。一般外道，形势穷促，衣食不得周全，于是改换僧服，混进佛教徒里面，一方可以得到衣食，一方暗中仍旧拿外道的教义，运用破坏工作，于是佛教乃陷入混乱状态。阿育王在摩揭陀国所造的鸡园大寺中，僧侣最多，因内道、外道两派在里面纷争，彼此不和，致使最重要的说戒仪式，也不能举行。这仪式停止有七个年头的长久，太不像样了。王听见了，便想辨别邪正，淘汰这班外道，于是发起第三次的结集。

《善见律》卷二记载这一段故事云："王白诸大德，愿大德布萨（这是梵语，佛制，每半个月逢十五日或月小二十九日，月大三十日，召集众僧说戒经，叫做布萨）说戒，王遣人防卫众僧，王还入城。王去以后，众僧即集众六万比丘，于集众中，目犍连子帝须（Moggaliputa）为上座，能破外道邪见徒众，众中选择知三藏得三达智（三达智，指天眼通、宿命通、漏尽通而言，天眼通能晓得未来的生死因果，宿命通能晓得过去的生死因果，漏尽通能断尽现在的烦恼。三种智慧到得究竟，叫做三达智）者一千比丘，一切佛法中清净无垢。第三集法藏，九月日竟，名为第三集。"

看这段文字，就知道阿育王发起第三次结集，他的最大目的，是要淘汰这许多外道，叫佛法回复从前的清净，不致混乱。一面遣人防卫众僧，一面请众僧所佩服的目犍连子帝须出来，主持这件大事（上座）。又就众僧中间，选择知见纯正能破外道邪见的人，这等人并且还要通晓经、律、论三藏，得过三种神通的，其数目多至一千比丘，在波咤利弗城，做第三次结集工作，经过九个月，方才完毕。聚集这等学德兼备的人，来整理经典，自然比较第一、第二两次结集，更为完美，所以经、律、论三藏，到这次方才完备的。

这次不但结集经典，还做传教的工作。所以结集既毕，就于诸长老中，选择多人，派至四方，做宣教师。这等宣教师，足迹遍于五印度，并且远至锡兰、缅甸。到如今锡兰等地方，佛教还是盛行，都是阿育王开创的功劳。

第四节

第四次结集

迦腻色迦王的提倡佛教

当公元第二世纪时候,有大月氏种族的迦腻色迦王(Kaniska)(公元 125—150 年在位)率兵从西方侵入印度,并且吞灭四邻,建立犍陀罗(Gāndhāra)王国,文治武功和从前的阿育王不相上下。王的兵力强盛,更进攻东印度,威胁文明中心的摩揭陀国。这国度里的国王,自知力量不敌,就供献佛钵和马鸣菩萨(Aśvaghōsa),要求讲和。佛钵就是释迦在世时所用的钵,佛教徒尊它为至宝,凡传得这钵的,就为传佛正统的证据;马鸣菩萨,是中印度的大师,道高德重,众望所归。这一种宝物和一个高人都是迦腻色迦王所极希望得到的,所以两方和约,就此成功。王对于佛教非常热心,但

第五章　释迦灭度以后弟子结集遗教

这时候距释迦灭度已四百多年，学者中间各自传述的学说极其分歧，莫衷一是。王在政事的余暇，每日请一僧进宫说法，然各僧所说的话，人人不同。王十分疑惑，因向胁尊者（梵名波栗湿缚Pārśvà）请教究竟孰是孰非。尊者答云："释迦灭度至今，岁月遥远，各宗师徒相承，各守自家宗派，实在无从定他们的是非。要在王喜欢那一宗，就趁这时，依照自己的宗，来结集三藏。"

王以他说为然，因此发起第四次的结集。精选学德并高的僧侣，先得四百九十九人，最后得到世友（梵名婆须蜜 Vasumitra）尊者，以为上座。王因迦湿弥罗国（Kaśmira旧称罽宾，今克什米尔）四围都是山，物产又丰富，足以供养僧众，于是王亲领五百人，到这地方，建立寺庙，使这五百人在其中做结集的工作。这次结集，是以解释三藏为主旨，所释的经藏、律藏、论藏，各有十万颂（印度文体往往用三字句、四字句、五字句、六字句、七字句的韵语，以便记诵，凡满四句，即叫一颂），总计三十万颂，合有九百六十万言。如今流传的《大毗婆沙论》，就是这次结集时所作的。结集既完，王就取赤铜锤炼成片，以为镂，将这文论镂刻在上面，再用石函缄封，造一宝塔，将石函藏在中间，不令流传于外国。如要习这论的人，当来这地求学，方许受业。

第四次结集的两点不同

这次结集，和从前结集，有两点不同：

一、胁尊者是小乘说一切有部（小乘分裂有二十部，详后，这是一部的名称）的学者，迦腻色迦王也是信仰有部的人，所以这次结集，是用有部的学风来整理三藏，克实说来，是有部一宗的结集。

二、这次结集，重在解释三藏的义理，和从前专门搜集佛的遗教，也是不同。

第五节

大乘经典的结集

大乘经典的由来

以上所说的四次结集，都是小乘经典。至于大乘经典的结集，传说种种不同，没有真确的史料可供考证，因此后世就有大乘经不是佛说的议论。其实大乘教的发展，那是思想演进的自然趋势，决不能说它不是佛说。怎么讲呢？大凡一种宗教，或一种学说，流传既久，中间自然要分出保守和进步两派。当第二次结集时，为十事非法的争论，就可以看出当时年德俱高的长老要墨守佛在世时所定的戒律，以为稍有违异，就是非法；至于青年进取的毗舍离、跋耆两城比丘，就以为稍微变通没有妨碍，结果就脱离这般保守派而自成一团体，当时就分裂为上座、大众两部。

从这以后，进取派不但是戒律上有所变通，学理上也有讨论研究，随着时势进步。当公元第二世纪时，向来为佛教压倒的婆罗门教，从学理上进展，重复振兴。至第四世纪时，彼教有组织的教义，就此大成。墨守严肃戒律的小乘教，不足和它为敌，这时由大众部演进的大乘教，也就因此勃兴。盖释迦在世说法时，本无所谓小大乘的分别，大乘的教义，早已包含在内。大众部分裂后，百余年中，思想渐渐进展，和婆罗门教一经接触，受了时代的影响，大乘教就此成熟，那是自然的结果，不足为奇的。

至于大乘经典的结集，虽然没有历史的证据，然经论中却有数处，可以引为佐证的。《菩萨处胎经·出经品》云："尔时佛取灭度，已经七日七夜，时大迦叶告五百阿罗汉，打揵槌（即是钟）集众，得八亿四千罗汉，使阿难升七宝高座，迦叶告阿难言：佛所说法，一言一字，汝慎勿使有缺漏；菩萨藏者集着一处，声闻藏者亦集着一处，戒律藏者亦集着一处。"这经中所说菩萨藏，就是大乘经；声闻藏，就是小乘经。照此看来，第一次结集就有大乘经典了。又《大智度论》卷一百有云："佛入涅槃后，阿难共大迦叶结集三藏……有人言，如摩诃迦叶，将诸比丘，在耆阇崛山中集三藏。佛灭度后，文殊、师利、弥勒诸大菩萨，亦将阿难集，是摩诃衍。"这段文字前段说阿难共大迦叶结集三藏，和《菩萨处胎经》所说相同；后段复引一说，那是文殊、弥勒等和阿难专门结集大乘经的。"摩诃"梵音译为大，"衍"字译为乘，是确凿的大乘经典，在佛火度后早就结集，而且不止一次，有时阿难和大迦叶合作，是兼集三藏，有时阿难和文殊、弥勒合作，是专集大乘经的。

第六节

秘密经典的结集

显教密教的分别

佛教有显教和密教两大部分。相传显教用显露的言语文字，是释迦牟尼佛所说；密教用秘密的咒语，是大日如来佛所说。这项秘密经典是什么时候什么人所结集，也没有确实史料可以证明。有的说是阿难结集，有的说是金刚手菩萨（即金刚萨埵 Vajrasattva）结集。《大乘理趣六波罗蜜多经》卷一有云：

复次，慈氏（即弥勒）云何名为第三法宝？所谓过去无量殑伽沙（殑读琴去声，殑伽（Gaṅgā）即恒河，殑伽沙，即恒河中的沙，喻数目的多）诸佛、世尊所说正法，我今亦当作如是说。所谓八万四千诸法妙蕴……

第五章　释迦灭度以后弟子结集遗教

摄为五分：一、素呾缆（即经藏），二、毗奈耶（即律藏），三、阿毗达摩（即论藏），四、般若波罗蜜多（"般若"译为智慧，"波罗"译为彼岸，"蜜多"译为度，这是说用真实智慧超脱生死大海，达到彼岸的意思，凡般若诸经都说这理），五、陀罗尼门（"陀罗尼"译为总持，即秘教所持的咒语）。此五种藏，教化有情（指有生命的众生），随所应度而为说之（随众生的程度高下，于五藏中应该用何种法，就替他说何种法）……复次，慈氏，我灭度后，今阿难陀受持所说素呾缆藏，其邬波离（就是诵出戒律的优波离）受持所说毗奈耶藏，迦多衍那（就是迦旃延 Kātyāyana）受持所说阿毗达摩藏，曼殊室利（就是文殊师利Mañśri）受持所说大乘般若波岁蜜多，其金刚手菩萨（密教中手执金刚杖的菩萨）受持所说甚深微妙诸总持门。

　　看上面的经文可知释迦在世的时候，早和弥勒菩萨说及过去世无量数诸佛所说的正法，数目多到八万四千，大概包括起来，可分做五部分。这五部分就叫五种藏，就众生的程度应该用哪一种，就用那种来替他们说。并且释迦在世时，早就在他的弟子中间，选择那人能明了佛所说的那种藏，叫他受持（受持是受之于佛，诵持不忘的意思）。预备佛灭度后，叫他们如法诵出。如阿难以多闻著名，就受持经藏；邬波离以守戒著名，就受持律藏。第一次结集时，就是他们两人分别诵出经律二藏的。迦多衍那在佛门中以论议著名，就受持论藏；曼殊室利在佛门中以智慧著名，就受持大乘般若；金刚手是传受密教的，就受持诸总持门。可见秘密经典当和金刚手菩萨有关系，未必和阿难有关系，但是结集的时代和结集地方都无从查考了。

【问题】

一、什么叫经藏、律藏？

二、四阿含经的内容如何？

三、什么是戒律的根本？

四、第二次结集的性质如何？

五、根本佛教如何分裂为二部？

六、第三次结集的内容如何？

七、经、律、论三藏什么时候方完备？

八、第四次结集的内容如何？

九、大乘教怎样演成？

十、密教和显教不同的地方？

十一、结集密教是何人？

第六章

佛教在印度的盛衰

第一节

小乘佛教的分裂

根本分裂与枝末分裂

释迦灭后百余年，第二次结集时候，佛教徒已分保守、进取两派，保守派叫上座部，进取派叫大众部，前文已经说过。等到释迦灭后二百余年，当阿育王时，有高僧大天（梵语摩诃提婆 Mahā-dēva）出世，对于来自戒律的严肃主义，教义的墨守主义，以为和时代不兼容，应该提倡自由宽大的学风，于是倡种种异说，自为新派的领袖。旧派各僧，大不谓然。两派从此在鸡园寺（阿育王所建）斗争不息。阿育王亲往鸡园替他们调和，然而两派各持己见不肯相下，王也没有办法。大天就说道："戒经中所载灭净的方法，应该依多数人的意见。"当时旧派的僧徒，年高者多而人数却少，大天的僧徒，年高者少而人数特多。王就依大天的说话取决，新派当然占胜利，从此上座大众就显然分做两部（以上节录自《大毗婆沙论》一九八卷）。这是佛教最初的分派，叫做根本分裂。佛教既分裂为两部，然这两部中间，解释教义的方面，意见又各有不同，于是分派中又复分派，分出的数目，竟多到二十部，也是奇观，这叫做枝末分裂。如今列表在下面：

根本分裂

- (1) 上座部（本末大凡十一部）
  - 雪山部（即上座部转名）
  - (3) 说一切有部（佛灭后三百年初分裂）
    - (4) 犊子部（佛灭后三百年中间分裂）
      - (5) 法上部
      - (6) 贤胄部
      - (7) 正量部
      - (8) 密林山部
      （佛灭后三百年中间同时分裂）
    - (9) 化地部（佛灭后三百年末分裂）
      - (10) 法藏部（年末分裂）
    - (11) 饮光部（年末分裂）
    - (12) 经量部（佛灭后四百年初分裂）

- (2) 大众部（本末合九部）
  - (13) 一说部（佛灭后二百年中间分裂）
  - (14) 说出世部（年中间分裂）
  - (15) 鸡胤部（佛灭后二百年中间分裂）
  - (16) 多闻部
  - (17) 说假部（佛灭后二百年中间分裂）
  - (18) 制多住部
  - (19) 西山住部（百年终同二）
  - (20) 北山住部（时分裂同二）

枝末分裂

以上分部的名称，有因所标的教义而得名的，如说一切有、一说、说出世等部；有因倡立的人而得名的，如化地、法藏、饮光等部；有因住处而得名的，如雪山、西山住、北山住等部。

第二节
大乘佛教的发展

主智的大乘教和主情的大乘教

当公元第四世纪时候，婆罗门的重兴机会成熟，它的哲学思想，非常丰富。佛教徒则自进取的大众部成立以来，思想随时代而进展，早已含有大乘的分子，到这时和婆罗门教接触，就树起大乘教的旗帜与之对抗。大众部的根据地在印度的南部，故主张思辨、专重自力修行的大乘教也发源在这地，这可称为主智的大乘教。又一方面，印度北方和波斯、希腊诸国交通，受回（伊斯兰教）、耶（基督教）二教的影响，所以又有主张礼拜、祈祷倚靠他力修行的大乘教在这地发生，这可谓主情的大乘教。"大"字是范围广大的意思，"乘"字是运载的意思，就是说运载众生，度脱生死苦海。它的教义和修行的因果，都比小乘来得大些。

马鸣菩萨最初发表大乘思想

最初发表大乘思想的人当推公元第一世纪时的马鸣菩萨（梵音阿湿缚窭沙Aśvaghōsa），彼曾著《大乘起信论》。这部论后世有疑为中国人所伪造的，异论纷纷，到如今没有确定，我们可不必过问。但是第一提倡大乘教的人，却就是他，他本来在中天竺摩揭陀国弘通佛法，后来迦腻色迦王领兵来伐这国时，就携马鸣俱归。他的辩才说法，不但能够感动人类，就是白马听了，也要悲鸣，所以号为马鸣菩萨。《摩诃摩耶经》卷下云："佛涅槃后，六百岁已，九十六种诸外道等，邪见竞兴，破灭佛法，有一比丘名曰马鸣，善说法要，降伏一切诸外道辈。"这也是说马鸣能够降伏一切外道，重兴佛教的事实。

龙树菩萨完成大乘教

然而马鸣不过是提倡大乘的第一人，当时大乘还未能自成一系统。至于有组织的大乘教，是在公元第二世纪，龙树菩萨（梵语那伽阿周陀那 Nāgārjuna）出世，方才完全成立的。龙树生在南印度婆罗门家，自幼于婆罗门的经典无所不通，及长，更通天文地理及一切技艺。

第六章　佛教在印度的盛衰

后来皈依佛法出家，数月之中，尽诵三藏，复到雪山，遇着一个老比丘，授以大乘经典。照《付法藏传》卷五所说："迦毗摩罗（Kapimala）初为外道，屈服于马鸣的谈论，就做他的弟子，在南印度布法，后来付法于龙树。"这个老比丘或者就是迦毗摩罗，那么龙树是马鸣的再传弟子了。龙树既得大乘经典，自己思量着，佛经这样精妙，其中未发明的道理很多，于是有革新佛教的志愿。后来更做许多大乘论，最著名的就是《中论》，从此他在南印度，竭力宣扬大乘教义。

破邪显正

龙树的大乘教义，就在破邪显正两方面。他最为尽力的是破邪，因为当时印度所行的婆罗门教各持一种哲理，甲立论，乙反驳，是非纷纷，莫能一定。龙树则以为，真理不是我们有限的知识所能确认的，倘若拿有限的相对知识，去讨论无限的绝对真理，无论说得怎样精妙，总是妄想。故大乘的唯一手段，要在先除去自己的妄想，妄想如能除掉，真理自然显现。经龙树这样一喝，便将当时所流行的宗教哲学一扫而空，这就是他的破邪手段。妄想既除，真理自现，所以破邪，也就是显正。于此可分三层说明：

第一，客观世界的现象，全属虚妄的幻影，了无实在。我们只要看宇宙万象，无一不是生生灭灭变幻无常的，就可证明这理。

第二，和这客观世界相对的，就是主观的心象，这心象也是前念去后念来，念念生灭不已，全属妄想。世人偏要用自己的妄想去分别客观的现象，孰为彼，孰为此，这不过是虚妄中更添虚妄，和梦中说梦没有两样。

第三，既知道主观的心象、客观的现象都是空的，了无实在，唯有自己除去妄念妄想，方能够超出有限的分别，认识无限的真理，达到和宇宙实体冥然符合的境界。所以龙树的显正方面，是先明客观的空，次明主观的空，归到一切皆空。这空境正是离开妄念的境界，不是完全没有，正和云散而见无限的天空相仿佛。

现象界的空和绝对界的空

总之，龙树所说的空，有两种意义：一是现象界的空，是说妄念妄想的主观和虚妄显现的客观，全是幻影，空无所有。二是绝对界的空，是说超越我们思虑以上，不可拿言语说明，也不可拿文字写出的真实境界，因为是不可思虑、不可言说的，姑且也叫做空。这是和现象界的了无所有的空意义全别。这绝对的真境，佛家名为真如，"真"者是不伪的意思，"如"者是不动的意思。

第六章　佛教在印度的盛衰

龙树创秘密佛教

龙树不但创立大乘的显教，并且在南印度铁塔里面见金刚萨埵，亲受秘教的《大日经》，为后世秘密教的祖师。所以龙树一人实兼创显密两种大乘教。后世推为释迦以后大乘佛教的祖师，谅非无故。

无著、世亲的有宗大乘

当公元第四世纪时候，龙树的空宗大乘教一转而为无著（梵名阿僧伽Asaṁga）、世亲（梵名婆薮盘豆Vasubandhu）兄弟二人的有宗大乘教。无著是犍陀罗国人，佛灭度后一千年中出世，初从小乘出家后信大乘。他的兄弟叫世亲，起初也从小乘出家，博通小乘经典，替众人讲说，随讲随写，做成一部《俱舍论》。他的兄长无著示以大乘的道理，世亲追悔从前的错误，要割断自己的舌头，以谢他从前宣扬小乘、诽谤大乘的罪过。无著对他说："汝既然用舌头诽谤大乘，不如更用这舌头赞扬大乘，何必要割断呢？"于是世亲更做《唯识论》等许多大乘论，弘宣大教（以上见《婆薮盘豆传》）。

空无相说和一切唯心说

龙树《中论》的空无相说，和世亲《唯识论》的一切唯心说，骤然看来，似乎立于相反的地位，实则并不冲突，不过各就一方面，详为说明而已。龙树是说客观的世界和主观的心象，都是我们妄想所现的影，倘能扫除这等妄想，那么真实的妙理（真如）自然显露出来。这真如是精神的本体，真真实实存在的，不变不动的。无著、世亲的《唯识论》，就是说明这绝对不动的精神本体既然超越于一切，何故会现出这山河大地的客观境界和妄想分别的主观心象呢？穷究它的缘起，方知道阿赖耶识（译为藏识，谓能含藏一切）是心的根本，一方面现出我们的身心，一方面现出山河大地，并且统贯过去、现在、未来三世，做生死轮回的主人翁。这种学说，叫"赖耶缘起论"，也就是唯识论。可知有宗大乘教，不过就龙树未曾详说的缘起方面特别加以发挥罢了。

大乘的空有两大派

然而到了后来，印度的大乘教就分成空有两大派。这两大潮流，愈演愈甚，就起空有的争论，经过数百年而不息。就是传到中国后，这空有两派，到如今还要争执的。

第三节
大小两乘的分别

释迦在世说法时候，对大根器的人就说比较高深的教理，对小根器的人就说比较浅近的教理，本没有大小乘的分别。就是释迦灭度后，弟子结集小乘经典，也时时有大乘的名字见于经中。后来虽有大小二乘的分别，不过指教理的浅深，并未含有褒大贬小的意味在内。直到马鸣、龙树专门提倡以后，方有看轻小乘的学风。如今且将大小乘的分别，略举如下：

（一）小乘教解释宇宙万有的差别，只限于生灭的现象论；大乘教则于差别的现象以外，说明不生不灭的平等真如，能达到本体论。

（二）小乘教偏于多苦的人生观；大乘教虽从多苦观入手，能更进一步，到达解脱自在的人生观。

（三）小乘教人心量较狭，急于度脱自己的生死的苦，没有工夫兼度他人；大乘教人心量较广，抱有自利利他的圆满理想，并且以利他为主。

（四）小乘教的解脱为消极的，只求离开现在虚妄的苦果，证到空空寂寂的真境，拿这个静的涅槃，做他的终局理想。大乘的解脱为积极的，知道我们的烦恼，本来是空，苦果自然脱离，修成常乐我净的四德（常是不变，乐是不苦，我是真我，净是不染），拿活动的佛陀，做最后的目的。

以上是大小乘分别的概要：一在世界观，二在人生观，三在修行，四在证果。

第四节

印度佛教的衰颓

释迦创立理智的佛教，一切平等，打破印度四姓的阶级，压服婆罗门的旧教，风靡一世，势力的隆盛可想而知。释迦灭度后，教外先有阿育王，后有迦腻色迦王的提倡保护，教内有马鸣、龙树、无著、世亲许多高僧接踵而起。佛教势力不但普及全印度，并且推行到别国，遗泽的传流有一千五六百年的长久，真可说是盛极了。

佛教的两大时期

印度的佛教，大概可分作两大时期：从释迦灭度后至公元二世纪龙树出世时为止，可算小乘教隆盛的时期。从龙树以后至第八世纪，可算是大乘教隆盛的时期。这不过大概的区分，实际上龙树以前，并非没有大乘教，看龙树所著的书中，多有引用大乘经典的地方，可以想见。又龙树以后，并非没有小乘教，看龙树、无著、世亲所著的书，其中多有破斥小乘，替大乘辩护的地方，可以知道。况且无著、世亲两人，起先都从小乘出家，可见当时小乘也极其流行的。

佛教衰颓的原因

大凡宗教或哲学，有盛就必有衰，佛教也不能逃出这个公例。佛教的势力，至第七世纪达了极点，至第八世纪，就渐渐衰颓了。它的衰颓原因固然不止一种，然最大的就是婆罗门教的复兴。婆罗门教，在印度有最远最深的势力，一旦被佛教所压倒，彼教中人，哪里能够甘心。于是将他们教规里不合潮流的地方渐渐改良，他们的教义本来幽深，再加以哲学的研究，渐渐进展。所以到第四纪时候，婆罗门教已经有复兴的气象。偏偏佛教中也有大乘教崛起，足足和它对抗相持又有几百年。然到了第八世纪时候，婆罗门教中出了一个大人物，叫商羯罗阿阇梨（Sānkarācārya），这人生在南印度，于婆罗门的哲学有极深的研究，并且拿许多的古代哲学书加以注释，又采用佛教的哲理，主张印度哲学的正教，名曰印度教。他还亲自游历四方，或派他们的弟子到全印度，传布自己的教义，以打倒佛教为目的。这时佛教徒中，恰巧没有杰出的人可和他对敌，遂不得不向他屈服。到了第十二世纪，回教徒又侵入印度，灌输他们的教义，势力也是不小，佛教更受打击，在印度本土，便几乎绝迹了。

　　然而宗教本来没有国家界限，所以佛教在印度本国，虽然衰颓，它在印度南北两方的进展，反有特别发达的现象：南进则传播于锡兰、缅甸、爪哇（今属印度尼西亚）、暹罗（今泰国）、安南（今越南）等国，成为南方佛教；北进则传入西域诸国以至中国内地和西藏，乃至朝鲜、日本，成为北方佛教。这南北两方的佛教，界线分明，就是南方所传的完全是小乘教；北方所传的，虽间有小乘经典，但大部分是大乘教。

【问题】

一、佛教最后分裂为几部？

二、怎么叫根本分裂、枝末分裂？

三、主智的大乘教、主情的大乘教意义如何？

四、马鸣、龙树和大乘教的关系？

五、怎样叫破邪显正？

六、空的意义如何？

七、秘密佛教的传受是何人？

八、无著、世亲和大乘教的关系？

九、空无相说和一切唯心说的分别？

十、大乘的空有两大派如何？

第七章

佛教传入中国的状况

第一节

佛教东传的时期

东汉明帝遣使访求佛法

我国历史相传,东汉明帝夜里做梦,看见金人,身长一丈六尺,头顶上有白光,从空中而来,飞行殿上。明帝醒后,召集群臣,占卜这梦。有傅毅回答道:"臣闻西域有神,其名曰佛,陛下所梦,将必是乎!"明帝听了他的话,就派遣蔡愔、秦景等到天竺(即印度)去访求佛法。他们遇见了迦叶摩腾(Kaśyāpamātaṇga)、竺法兰(Dharmarakṣa)两僧,于永平十年(公元67年)回到洛阳。明帝极为欣喜,便在洛阳城西门外建立精舍,以处两僧(以上见《高僧传》卷一)。这是佛教传到我国的史实。

摩腾、竺法兰两僧都是中印度人。摩腾通晓大小乘

第七章　佛教传入中国的状况

经典，本以弘布佛法为自己的任务；竺法兰诵习经论，多至数万章，印度学者尊之为师。他和摩腾志趣相同，所以不怕路远，肯随从蔡愔等来中国。佛教初次东来，信仰的人并不多。这两僧也翻译过几部经典，如今流传的只有《四十二章经》一卷。

历史上虽然是这样说，其实中国人知道佛教很早很早，决不要等到东汉时代方才传来。有的说在周朝末年，已经有佛教；有的说秦始皇时，已经有佛教。从各种书参考的结果，当以《魏书·释老志》所说最为可靠。志云："释氏之学，闻于前汉；武帝元狩中，霍去病获昆邪王及金人，率长丈余。帝以为大神，列于甘泉宫，烧香礼拜；此则佛道流通之渐也……及开西域，遣张骞使大夏，还云：'身毒有浮图之教。'"看此段文字，最可凭信。武帝时将军霍去病打破北狄匈奴，捉到昆邪王，并得到他们崇奉的金人，大概长有一丈余，这就是丈六金身的佛像。可知这时佛教先已从西域流传到匈奴地方了。后来武帝要削弱匈奴，所以开通西域，派张骞到大夏国（西域国名，今阿富汗的北部）约同西域诸国，夹击匈奴。张骞回来，就知道大夏的南方有身毒国（即印度，天竺、身毒都是异译），国里有浮图的教。"浮图"就是佛陀二字的异译。由此看来，佛教流传到中国，的确在前汉初年，那是无可疑的。

但是佛教虽在前汉时已到中国，这时知道的人太少，并没有什么影响。就是东汉明帝时，摩腾、竺法兰两僧到后，虽然明帝替他们造僧寺，叫他们翻译经典，但当时信仰的人绝少，所以也没有什么大影响。我们只要拿历史来细细一看，自从东汉明帝直到汉末桓帝时，八十年中间，无论正史和他种传纪，绝无一语涉及佛教，就可以知道。到桓帝建和二年（公元148年），有安世高到中国，这人是安息（古代波斯的王国）国王的太子，出家为僧，博通经典。他到中国不久，就通华语，翻译经典甚多。又有支娄迦谶，是月支（西域国名，今新疆地方）国人，于灵帝光和中平年间（公元178—189年）来洛阳，译出经典也不少。这两人到后，佛教在我国渐有势力，我国信仰的人也渐渐多起来。这可见佛教到中国，能在宗教上占一位置，确在东汉末年了。

第二节

历代的译经事业

　　佛教来中国后，自东汉起，直到宋朝一千数百年间，上自朝廷，下至佛教徒个人，大都致力于译经事业。所以中国的经典，蔚为巨观。如今要略述译经状况，可分四个时期来说明：

　　从汉末（公元三世纪初）到西晋（四世纪初）百余年间，西域诸国和天竺（即印度）僧徒来中国布教并翻译经典的人，其数不下六十余人。安世高从安息国来，译出的经有九十多部，支娄迦谶从月支国来，译出的经有二十多部。这两人所译的经，最足令我们注意的，就是安世高所译的大都是小乘，支娄迦谶所译的大都是大乘。所以可说到中国最初传小乘教的，是安世高，最初传大乘教的，是支娄迦谶。至于传布大乘教最著名的人，就是竺法护，其祖上本居月支，后代迁移到敦煌，世人就称他为敦煌菩萨。法护通三十六种外国语，在晋武帝时（三世纪末）到中国，从事翻译工作有四十多年，所译的经，其数多至二百部，可称翻译大家。

但是这几百年中间来中国的僧徒，不过于布教的余暇，从事翻译，朝廷也没有加以保护，译经也没有一定地点，或者成书于旅行的时候，因此翻译的体例既不统一，译名也多混淆，所以称为译经的初期。

北方关中的佛教

到前秦苻坚时（四世纪初），有罽宾国僧伽跋澄（Saṁghavarśana）、僧伽提婆（Saṁghadēva）两人来关中，译出小乘经典甚多，我国名僧道安也帮助他们翻译。所以小乘的传译，在前秦时独盛。

后秦姚兴时（五世纪初）有龟兹国人鸠摩罗什（Kumarajiva）来长安，秦王姚兴尊他为国师，礼遇甚优，《高僧传》卷二云：

自大法东被，始于汉明，涉历魏晋，经论渐多，而支（支那）竺（天竺）所出，多滞文格义（扞格不通）。兴少达崇三宝（佛、法、僧为三宝），锐志讲集。什既至止，仍请入西明阁及逍遥园，译出众经。什既率多谙诵，无不究尽，转能汉言，音译流便；既览旧经，义多纰（音批）缪（错误也），皆由先度（从前人翻译）失旨（失去本旨），不与梵本相应。于是兴使沙门（梵语，

第七章　佛教传入中国的状况

是出家人的通称，译为勤息，即勤修善道、止息恶行的意思）僧䂮（音略）、僧迁、法钦、道流、道恒、道标、僧睿、僧肇等八百余人，咨（问也）受什旨。更令出《大品》（《大般若经》），什持梵本，兴执旧经，以相雠（音酬）校（就是对校），其新文异旧者，义皆圆通；众心惬伏，莫不欣赞。

看这段文字有可注意的三点：

（1）从汉明帝以来，经过魏晋两朝，译出的经论虽多，但意义多错误，和梵文原本不相应；其病在通梵文的，未必通华文；通华文的，未必通梵文；以致译文呆滞，译义扞格。

（2）从前译经，多由西来僧人于布教的余暇自主翻译，力量有限；这时是得后秦国王姚兴的扶助，并且拨出王家的花园做译场帮助翻译僧众，多至八百人。这种大规模的举动，是从来所没有的。

（3）鸠摩罗什是旷世天才，于三藏既都能谙诵，又善于中国语言文字，所以能融会两国的言文，不必拘拘于直译，而能为流畅的意译，在我国翻译上开一新纪录。他翻译的《般若经》、《法华经》、《中论》、《百论》、《十二门论》等，多至三百数十卷，大都发挥龙树的教系，为中国大乘空宗的开始。

南方庐山的佛教

这时南方庐山有高僧慧远，结白莲社，僧俗入社的有百二十三人，为我国提倡净土的初祖。慧远博通群经，和罗什虽没有见面，然极其推重，每有疑义，常用书函请问罗什，罗什也极佩服他。但是慧远并不借政治力量的保护，全凭个人的力量，勤苦修行，尤极重戒律。慧远于译经事业，也十分尽力。佛驮跋陀罗（罽宾国人，Gunabhadra）在长安不得志，远迎接他到庐山，叫他译出《达摩多罗禅经》，开中国禅门的先河，又译出有名的《华严经》，为中国大乘有宗的开始。这些都是慧远的力量。慧远还派遣弟子法净、法领先后到西域去搜求经典，这时僧伽提婆也来庐山，译出经典不少。

罗什、慧远两派的学风

这时候罗什在长安，为北方佛教的中心；慧远在庐山，为南方佛教的中心。然两派学风，大不相同。罗什受帝王的供养，不拘拘戒律，徒众多至数千，声势显赫，不可一世；慧远却完全相反，持律既非常严肃，更不喜亲近权势，风格高逸，国中乐于静修的人，多愿从他，学者也有数百人。当时人说长安佛教，如春花盛开，生气勃发；庐山佛教，如深秋枯木，旨趣闲寂。可谓确评。

第七章　佛教传入中国的状况

这是南北两派隐然对峙状况，也是中国大乘教空、有两大潮流的发源，所以称为译经的第二时期。

南北朝译经事业的兴盛

南北朝（五世纪中至六世纪中）翻译的事业，更加兴盛。这里著名的：宋有求那跋陀罗（Gunabhadra），梁有菩提流支（Bodhiruci），陈有真谛三藏（梵名拘那罗陀 Gunarata）。

求那跋陀罗，中天竺人，由小乘进大乘，博通三藏，于元嘉十二年（公元 435 年）从海道到广州。宋太祖遣使迎接到京师，集合徒众七百人，译出大小乘经很多。《高僧传》卷三有云："宝云传译，慧观执笔，往复咨析，妙得本旨。"宝云、慧观都是学问很好的高僧，有他们两人，一传译，一执笔，并且和求那跋陀罗往返问难，剖析义理。所以译出的经典，能妙得梵文本旨。

菩提流支，北天竺人，遍通三藏，志在弘法，从葱岭入中国，以魏宣武帝永平元年（公元 508 年）来洛阳。魏帝使居于大宁寺，供养丰盛，寺中有七百梵僧，以流支做译经的领袖，二十余年间，译出经论多至三十九部。

真谛三藏，西天竺人，以梁大同十二年（公元 546 年）来中国。武帝竭诚供养，本欲盛翻经教，适逢侯景作乱，未及举行。国家多难，真谛流离迁徙，不得安居，至陈宣帝时而病殁。然真谛虽度流离的生涯，而译事未废，从梁武末年，至陈宣初即位二十三年中，译出经论记传，多至六十四部。世亲菩萨的教系，由真谛首先传入中国，他所译的《摄大乘论》、《唯识论》等就是。

求那跋陀罗、菩提流支两人，都得帝王帮助。本来真谛也得梁武帝帮助，惜乎遭逢兵难，没有一日的安宁，然其成绩，还这样的伟大，倘得身遇承平，一定更有可观。

这时期有可注意的特点，就是第一二时期翻译的经典原本，大概自西域传来，或口传，或写本，都是西域文字，译成华文，已是重译，就偶然得到梵本，也已经过西域人的改篡。至于译文，或是直译，或是意译，和梵文原本总有点违异，是不可免的。到这时期，原本多自印度得来，译法也比较完备，所以称为译经的第三时期。

唐玄奘赴印度留学

到唐朝贞观年间（七世纪中），我国有大师玄奘三藏出世。大师俗姓陈，十三岁出家，博学无方，凡是国里的名师，个个都去请教过，于是深通三藏，名冠京都。然大师以为诸师各有宗，译出的经典，也多有隐晦难通的地方，乃立志亲往印度，以明其究竟。他孑然一身，万里长征，经过西域诸国，备尝艰苦，方到印度。在印度留学十七年，经历一百有十国，凡大小乘经论，没有

第七章　佛教传入中国的状况

不学，获得梵本经典六百五十七部，归来献于朝廷。世俗相传的《西游记》小说，就是写唐三藏这段故事的。唐太宗见玄奘得到这许多经典回来，就叫他在弘福寺从事翻译。玄奘拿从前翻译体例，重加改正，一洗向来华梵扞格的毛病，在译经上又开一新纪元。他数十年中译出经论多至七十六部、一千三百四十七卷（以上见《大慈恩三藏法师传》）。玄奘所传，也是世亲菩萨的教系，至此中国大乘有部，于是完成。

密教传入中国

到唐玄宗开元时（八世纪中），有中天竺僧善无畏（梵名戍婆揭罗僧诃）拿真言密教，传来中国。后来又有金刚智（梵名跋日罗菩提，中天竺人）、不空（梵名阿目佉跋折罗，北天竺人）师徒两人，从海道到中国，传布密教。于是翻译的密教经典，一时极盛。

到宋太祖时（九世纪中），曾派遣沙门三百人，往印度求梵本。此后从印度及西域来中国的僧侣既多，从中国到印度去求法的人也不少，往来交通既便，翻译事业，自然更盛而更完美。到宋以后，国家不复加以提倡，译经事业，也就终止了。

这时期有可注意的二点：

（1）前三期的译经，虽有本国人参加在内，然总是以梵僧为领袖的，唯有这时期，是玄奘大师亲自西游归来，主持译事，是本国人独立翻译的开始。

（2）从前三期内，虽有鸠摩罗什、真谛三藏等大匠辈出，然华文梵文的隔阂，终不得免；并且译例，也未能十分划一，到这时，经玄奘改正后，这毛病方完全除去。所以通常也称前三期所译的经论为旧译，玄奘以后所译的经论为新译，这是译经的第四时期。

古代的译经，异常慎重，要经过多数人的手，并不像现在的译书，由一人独译，或两人对译，就算了事。并且所定的体例，十分细密，形式更加庄严，如今拿《佛祖统纪》四十三卷所载译经仪式录之于下：

于东堂面西，粉布圣坛（就是在东堂向西作一坛场，用粉画界）。开四门，各一梵僧主之，持秘密咒七日夜（持秘密咒七日七夜，是借咒语的力量，使坛场洁净）。又设木坛，布圣贤名字轮（上面圣坛是方形，这木坛形状是圆的，一层一层，将佛名、观音大士名、天神名环绕写在上面，像车轮形状），请圣贤（就是佛和菩萨）。设香、华、灯、水、殽果之供，礼拜远旋（译经的僧徒礼拜佛菩萨，向右绕木坛而旋转）祈请冥佑（暗中保佑），以殄魔障（除恶魔的障害）。第一译主，正坐面外，宣传梵文。第二证义，坐其左，与译主评量梵文。第三证文．坐其右，听译主高读梵文以验差误。第四书字，梵学僧审听梵文，书成华字，犹是梵音。第五笔受，翻梵音成华言。第六缀文，回缀文字，使成句

第七章 佛教传入中国的状况

义。第七参译，参考两土文字，使无误。第八刊定，刊削冗长，定取句义。第九润文官，于僧众南向设位，参详润色。僧众日日沐浴，三衣（佛制，僧徒只许穿大中小三种衣服，以缝缀条数的多少，分别大小。五条为小衣，就是近身的衬衫；七条为中衣，穿在衬衫外面；九条为大衣，就是大众集会时候所穿的礼服）、坐具（坐卧时所用的毡席）。威仪整肃，所须受用，悉从官给。

　　看这段文字，凡译一经，须经过九个人的手：初次译主宣读时候，坐在左的人，和译主评量文中的意义，坐在右的人，证明文字的音韵。第四书字人，审听梵文，先写成音译的华文。第五笔受人，再从音译的华文，翻成义译的文言。然梵文名词动词的位置，和华文刚刚是颠倒的，所以第六缀文的人，就拿义译的文言，回转过来，叫它成为汉文的句义。第七参译的人，还要仔细参考两土的文字，看译成的文，是否密合。中国文字，向来是简而短的，梵文是繁而长的，所以第八刊定的人再将译文冗长处删削之，定为中国的句义。第九润文官是帝王所派，长于文学的人，他是专管译成的经文，加以润色，叫文章有精彩的。译经这样慎重，无怪乎我国传流的佛经精美非常，为学者所公认了。

第三节

各宗的次第成立

我国小乘大乘各种宗派，怎样成立的呢？就是译出某种经、论，便依据这经、论的教义，成立一个宗派。如今依各宗成立先后说明之。先说小乘成实、俱舍两宗。

（一）成实宗

姚秦时（五世纪初），鸠摩罗什译出《成实论》。这部论是佛灭后九百年光景诃梨跋摩（中印度人 Hari-varman）所做的，内容是就苦、集、灭、道四谛，发挥人空、法空的道理。什么叫人空呢？就是人的身体，是业识为因、父母为缘凑合成功的，因缘分散，人就没有了，这叫做人空。什么叫法空呢？人们听见说人空，就要想到人的身体固然是空，然而构造这身体的元素（法），终久不灭，是不空的，哪里知道宇宙中间一切东西（法）没有不是因缘凑合成功的，因缘分散，法也是没有的，这叫做法空。成实论就是说明二空的深理，是小乘空部最后的发展，和大乘已十分接近。南北朝有专讲这论的，就共称为成实宗。在中国开宗独早，然到唐朝就衰微了，如今研究这论的人，是很少的。

（二）俱舍宗

六朝时（五至六世纪）陈真谛三藏译出《俱舍论》。这部论是佛灭后一千年光景，世亲菩萨所做的，本名《阿毗达摩俱舍论》，略称《俱舍》。"阿毗"译为对，"达摩"译为法，"俱舍"译为藏，就是对法藏论。内容是就苦、集、灭、道四谛，详说有漏（有生灭的）无漏（无生灭的）的法。末卷说到无我，是小乘有部最后的发展（我空、法有），和《成实论》正处相反地位。真谛三藏既译这论，并作解释，称为《俱舍释论》，初开这宗。然不久这释论便佚失了，未能盛行。到唐时（七世纪中）玄奘重新译成三十卷，门人普光做《俱舍论记》，法宝做《俱舍论疏》，大大的宣传，这宗就此兴盛。然不久又衰，附入于大乘法相宗，今日则研究法相宗的人，多兼习这论。

做这两部论的人，在印度是《成实论》在先，《俱舍论》在后，恰好传入中国，也是成实宗在先，俱舍宗在后。

至于大乘共有八宗。除掉禅宗是以心传心，不立文字外，其余七宗都有所依的经论，如今也依成立的先后，说明于下：

（三）净土宗

净土宗是东晋（四世纪）慧远所创的。慧远居江西庐山东林寺，领众行道，清信的徒众都闻风来集。慧远乃结白莲社，开念佛法门，入社的有一百二十三人，有居士，有僧人，其中尤著名的有十八人，世称莲社十八高贤。释迦佛为末世众生根器浅薄，开这直捷法门，教人一心念阿弥陀佛，发愿往生西方极乐世界，所以叫净土。这念佛方法不管上智也好，下愚也好，如果至心修持，成功是一样的。慧远以后，历代有提倡的大师。到唐朝善导大师，以这法普及下级人民，直到如今，净土宗还是普遍全国社会，比他宗特盛。这宗所依的有三部经、一部论，就是《无量寿经》、《观无量寿佛经》、《阿弥陀经》、《往生论》，于教理以外，特重实行。

（四）禅宗

佛家的禅定是各宗共同的修法，就是将心专注一境，不使散乱，徐徐入定，功夫到得究竟，就能豁然大悟，明心见性。所以我国从汉末安世高到鸠摩罗什，都有译出的禅经，初不必依此专立一宗。到六朝时（五世纪中），南天竺菩提达摩（Bodhidharma）来中国，后入北魏，专倡不立文字，直指人心的禅法，就开始成立禅宗。他说佛家一切经典，无非是说明超脱生死的真理，这真理犹如天空的月亮，月亮的光，初生时候极微细，不容易看见，唯有明眼的人能先见到，于是用手指标示月光所在的地方，告诉不能见的愚人，愚人不明白他的意思，反而误认明眼人的指头，以为真月。一切经典，就同标月的指头一样，如今，人误认经典的文字以为真理，犹如愚人误认标月的指头以为真月，二者是同一毛病。所以达摩要扫除文字的障碍，倡这直指人心的禅宗。

从达摩传到第六祖慧能以后，我国禅宗，复分成南北两派。后来南禅又分为五个支派，即临济宗、云门宗、曹洞宗、沩仰宗、法眼宗。到宋朝以后，他宗皆不振，唯有临济一宗盛行，直到如今，南北各大丛林（僧众集居之寺，如树木之丛集为林，故名）大多数是临济宗的子孙。

（五）三论宗

姚秦时（五世纪初），鸠摩罗什译出《中论》、《百论》、《十二门论》，三论宗就传入中国。《中论》、《十二门论》是佛灭后七百年光景，龙树菩萨所做的，《百论》是龙树的弟子提婆菩萨所做的。《百论》内容是破斥外道的邪见，以明大小两乘的正道。《中论》前二十五品（品，类也。经论中，以义相同的文字，分为一段，称之为品。一品，犹现在的一章）是破大乘的迷执（迷于真理的执见），明大乘的实理。后二品，是破小乘的迷执，明小乘的实义。《十二门论》说明十二种的法，全是破大乘的迷执，明大乘的实理。前章曾说过龙树在印度提倡大乘空部教义，他的唯一手段，就在破邪显正，这三部论就专为破邪而做的。罗什本来传承龙树的教系，所以译出这三论，竭力宣传，为中国三论宗的初祖。

到唐朝嘉祥大师（名吉藏）做《三论疏》，专拿这论教授学徒，三论宗于是大成。当世称嘉祥以前为古三论，又称北地三论；嘉祥以后为新三论，又称南地三论。北方或又加入龙树的《大智度论》，称四论宗。然未大盛。宋以后，嘉祥的论疏久已遗佚，学者不能通三论的义，这宗就并入于天台而衰亡了。如今这三部论疏，已从日本《续藏经》中得来，金陵刻经处刊印行世，但研究的人尚不甚多。

（六）天台宗

陈隋间（六世纪末），智者大师（名智颛）居天台山，建立这宗。这宗初祖是慧文禅师，师读龙树《中论》的"众因缘生法，我说即是空，亦为是假名，亦是中道义"（《中论》卷六的《观四谛品》）就悟到一心三观（观空、假、中）的妙理，为创立这宗的起因。慧文传他的弟子慧思，慧思复传与智颛，到智颛时，天台宗于是大成。

怎样叫一心三观呢？就是宇宙万有看来非常复杂，实则没有一物，不过内因外缘凑合而生，因缘一经分散，就没有了。所以众多的事事物物，都是因和缘所生出的东西。这些东西，生生灭灭，了无实在，所以可以说它就是空。宇宙内许多东西，我们总要替它起个名字，方能分别得清，就是一个假名。我们既知是空，又知道是假名，那么离开这"空"与"假"两种观念，就是非空非假，合乎中道的义理。

天台宗教人用功时候，返观一心，先扫除一切从因缘所生的妄念，做空观的功夫，然后再看这妄念怎么样会起来的。无非是一个一个的假名，记在心里，所以念念生起，这就是假观功夫。悟到非空非假，就是中观功夫。这是天台宗的真实用功法门，从《中论》里悟得来的。

智者大师更拿《法华经》做本宗的主，拿《大智度论》为本宗的指南，拿《涅槃经》扶助《法华》，依《大品般若经》详立空、假、中三观的方法。

这宗师徒依次传承，历唐、宋、明、清虽有兴衰，然而历代都有杰出的人物。民初南北讲经的谛闲法师（民国二十一年圆寂）也是天台宗后起的宗匠，所以天台宗风，如今尚称兴盛。

（七）律宗

戒律本是佛家共同的法典，不论哪一宗都要遵守的。所以有"佛在世时，以佛为师，佛灭度后，以戒为师"的恒言，可知并无专立一宗的必要。但是律有大乘律、小乘律的分别，大乘律有《梵网经》、《菩萨戒本经》等，小乘律有《十诵律》、《四分律》等。我国从鸠摩罗什提倡《十诵律》后，这律法盛行于长安，更传播到南方荆州各地。到了南北朝中叶，《四分律》又盛行于北方。降及唐代，《四分律》就压倒其他诸律，独盛一时。这时（七世纪初）有道宣律师出世，觉得戒律应当统一，依他的研究，《四分律》最宜于中国，于是广撰疏钞，阐明律意。因为道宣住在终南山，故世人特称为南山宗。

这宗传到宋朝，又有允堪、元照两律师出世，重复振兴。但到元明两朝，就已衰微。明末时，竟有出家僧人要求受戒的师父也不可得，佛门纲纪，几乎坠地。清代初叶，有古心律师出世，他的嗣法子孙三昧、见月两律师继起，南山宗由此复兴。三昧律师开设戒坛于江苏的宝华山，专用律法轨范僧徒。到如今南北大丛林的传戒，都要遵照宝华山的戒法。

（八）法相宗

佛家以宇宙间一切事事物物，统称之为法。凡法有它的本体叫做性，有它的现象叫做相。性只一个，相有万殊，就是我们心上起一念头，也有它的相貌，总名法相。龙树的大乘空教是讲明诸法本性的，也叫法性宗。传入中国的三论宗，就属这一教系。世亲的大乘有教，是先讲诸法的外相，再讲到本性的，叫法相宗。玄奘法师亲到中印度，从戒贤（梵名尸罗跋陀罗 Silabbadra）论师，传这教义，归国后大弘这宗（七世纪中）。他的大弟子窥基，更完成之。这宗由此大盛。

这宗在印度是佛灭后九百年光景，无著菩萨从弥勒菩萨处传出《瑜伽师地论》，开始创立这教系。后来世亲菩萨做《唯识三十颂》，护法菩萨等做《成唯识论》，方才成为有力的学说。

我国南北朝时期，陈真谛三藏早已翻译《法相经论》，然没有盛行。到玄奘翻译时，和真谛所译的多有不同的地方。因此世人称真谛所译的为旧相宗，玄奘所译的为新相宗。

这宗和三论宗恰相反，所依的经有《楞伽》、《阿毗达摩》、《华严》、《密严》、《解深密》、《菩萨藏》，总共六经。所依的论有《瑜伽师地》、《显扬圣教》、《庄严》、《辨中边》、《五蕴》、《杂集》、《摄大乘》、

《百法明门》、《分别瑜伽》、《二十唯识》、《成唯识》，总共十一论。

唐朝玄奘法师，师徒相承，窥基做《成唯识论述记》及《枢要》，慧沼（窥基弟子）做《成唯识论演秘》，大为阐扬，法相宗就盛极一时。到宋以后，研究的人渐少，这几部重要论疏，也完全佚失。到明朝末年，有明昱、智旭两大师，对于这宗著述颇富。然因为没有看见从前的论疏，解释不免错误。如今论疏也从日本《续藏经》中取回，南北刻经处分别刊印，学者得以窥见玄奘的本旨，这宗颇有重兴的机运。然出家人以这宗经论文深义繁，研究的人颇少；在家居士，则以这宗经论系统分明，切近科学，研究的人较多。

（九）华严宗

唐朝（七世纪中）杜顺和尚（和尚也称和上，是印度俗语，译为亲教师）始依《华严经》创立观心法，名曰法界观，为这宗的初祖。智俨法师传承这教系，做《华严经搜玄记》，为第二祖。至第三祖贤首国师法藏做《华严经探玄记》，这宗就大成。第四祖清凉国师澄观又做《华严悬谈》及《演义钞》，解释华严奥义，于是华严宗如日丽中天，隆盛无比。

这宗所依的是《华严经》，这经卷帙最多，称为经

第七章 佛教传入中国的状况

中的王。昔释迦牟尼，在菩提树下成佛的时候，拿他心中自己证得的真理，为弟子们宣说，就是这部大经。佛灭度后，到龙树菩萨，始拿这经传布于世。传到中国有两种译本：一种是东晋时佛陀跋陀罗译的，共六十卷，世称为《六十华严》。杜顺和尚，依它立宗，和二祖智俨三祖法藏所做的记，都是依据《六十华严》的本子。一种是唐朝实义难陀（于阗国人 Siksānanda）所译的。唐武则天皇后，因《华严》旧经不甚完备，听说于阗国另有梵本，便派人前去访求得之，并请实义难陀同来中国，于中宗嗣圣元年（公元684年），在大遍空寺开始翻译，于圣历二年（公元699年）告成，共计八十卷（以上节取《宋高僧传》卷三《实义难陀传》），世称《八十华严》。这部经译出以后，华严宗第四祖澄观，又依据这经，做疏二十卷，做《演义钞》四十卷，完成这一宗的教义。

华严宗到唐朝以后，所出人才不如天台宗的多，所以自宋到明，这宗时断时续，极为衰微。到清朝初年，有柏亭大师（名成法）出世，为这宗的大匠，这时华严典籍，大都散失，大师竭尽心力，重复搜集，撰述极富，华严宗于是重兴。然此后复衰，虽光绪宣统年间，有月霞法师，以研究《华严》著名，但也没有十分发展。近来有应慈法印，传月霞的学，以《华严》教授学徒。可见华严到现在，已不绝如缕了。

（十）密宗

密教经典早传中国，自西晋怀帝永嘉时（四世纪初），帛尸梨蜜多罗（Srimitra）首译出《孔雀王经》，历代都有翻译，然并没有正式设坛传道的人，所以密宗的成立，比较他宗，为时最晚。唐玄宗开元时（八世纪中），善无畏来中国，始正式传布密教。同时金刚智偕弟子不空也从海道到中国，弘传这教，为我国有密宗的开始。

密教是对显教而言，显教是以显露的言说文字为教，如上面所说三论、天台、法相、华严各宗都是；密教反之，是专以持诵密咒为教。又显教经典，是释迦牟尼佛所说，密教经典是毗卢遮那佛（大日如来）所说，这是显密两教不同的地方。这宗经典以《大日经》和《金刚顶经》为主，经典以外，对祈祷、供养等仪轨极为重视。

释迦灭后八百年光景，龙树菩萨在南天竺铁塔里，面见金刚萨埵，传受密诀，密教就流传于世。龙树传他的弟子龙智，到中国的金刚智就是龙智的弟子。

这宗的秘密法门是身、口、意三密相应。手结印是身密，口念咒是口密，心中观想是意密。然若没有阿阇黎（译为轨范师）传授就不能学习。唐朝时这宗极盛，到陈朝就衰。明朝时太祖以秘密传教有流弊，下令禁止，我国就此失传了。

第七章　佛教传入中国的状况

唐时不空的弟子惠果阿阇黎，拿秘密法门，全部传授于日本空海和尚。他归国以后，组织很完备的密宗，到如今还流传不绝。西藏的喇嘛（喇嘛，是西藏语，译为无上，指高僧而言）教，也是密宗，从印度直接传入的。佛教在我东晋时早已传入西藏，至公元 728 年（即唐玄宗时），有印度莲花生上师到西藏，就此成立喇嘛教。现在我国的出家和尚、在家的居士，多有赴日本或入西藏求密教的，因此称日本所传的为东密，称西藏所传的为藏密。

各宗小结

印度小乘，从上座、大众两部分裂后，就分为空、有两部。上座属有部，大众属空部。传到中国来，也是这样，俱舍宗是有部，成实宗是空部。然这两宗不久就衰，可知小乘教义和中国社会，不十分相宜。

至于大乘八宗，净土、禅宗成立最早（禅法从汉末安世高就传入）。净土属有宗，禅属空宗。这两宗成立既早，历代相传，没有间断，到如今势力还是普遍全国，这是值得我们注意的。三论是空宗，法相是有宗，这是印度固有的教义，整个儿传入中国的。这两宗在从前虽有极大的发展，然早已盛极而衰。

天台、华严两宗，天台属空宗，华严属有宗。这两宗完全是中国人自己创立的，教理的精博，方法的完密，足见我国人组织力的伟大。然现在华严极衰、天台比较稍振，终不能和禅、净二宗并驾齐驱。至于密教，也属有宗，成立最迟，终遭禁止，现在虽有重兴的机运，还没有十分流行。

【问题】

一、佛教何时传到中国？

二、东汉时翻译的经典有哪些？

三、译经初期情形如何？

四、关中佛教与庐山佛教内容如何？

五、大乘空有二宗在我国何时开始？

六、罗什、慧远两派的学风相同否？

七、译经第二时期情形如何？

八、译经第三时期情形如何？

九、中国的大乘有部由何人完成？

十、密教由何人传入中国？

十一、译经的第四时期情形如何？

十二、译经仪式如何？

十三、小乘两宗的教义？

十四、净土宗的内容？

十五、禅宗的开创及分派？

十六、三论宗和四论亲相同否？

十七、天台宗的一心三观内容如何？

十八、律宗何时成立？

第七章　佛教传入中国的状况

第八章

《大藏经》的雕刻

第一节

国内雕印的《大藏经》

北宋时蜀版《大藏经》

我国的雕刻印刷术起源在什么时候，已不能确定。据沈括做的《梦溪笔谈》里所说："五代时冯道始印《五经》。"然据《历代三宝记》卷十二载，隋开皇十三年勅："废像遗经，悉令雕撰"，这两句文字，可作为雕刻佛像、佛经的证据。由此可见雕刻术在隋代已经流行了。至于正式雕刻的官版《大藏经》，当以北宋的"蜀版"为开始。宋太祖开宝四年（公元971年），遣张从信往益州（今之成都）雕《大藏经》，到太宗太平兴国八年（公元983年），经过十三年而刻成。这是我国最初雕刻的《大藏经》，也是最精的版本。惜乎现在只有残本，较为完全的经、典很少见了。

第八章 《大藏经》的雕刻

宋太祖振兴文化，对于佛教之保护提倡，极其尽力。他知道唐朝是佛教全盛时期，翻译的经典不少，然未能汇集历来经典，印成全藏，是一种缺憾。加以五代的纷乱，佛典的散失也不在少数，这时若不从事搜集，以后更不堪设想。况且太祖统一天下，他的功业和唐朝开国时没有两样，这种发展文化的根本计划，当然要十分努力，突过前朝。所以这雕刻《大藏经》的大事业，到此就完成了。

这部经版，可惜没有完全的本子，内容已不甚可考。然据各家记载，全部有四百八十函，五千另四十八卷。字体、印纸，都极精美，现在从残本里还可考见一斑。这版刻成，影响到国外，日本、高丽、契丹等国都到宋朝来请求颁赐一部，回去仿照刊刻。所以这副版子，复做外国刻经的蓝本，就这一点，可以知道它的价值。

明朝的南北藏

明太祖微贱时，本来进皇觉寺做和尚，后来起兵，推翻元朝，为明朝开国的皇帝。他既是和尚出身，对于佛教，自然格外信仰。所以在洪武五年（1372 年），招四方的名德沙门，集于蒋山寺（今南京之紫金山），点校藏经，预备刊印，在南京开雕一部《大藏经》，通称南藏版。总计六百三十六函，六千三百三十一卷。但这时在元末骚乱以后，旧版经帙，多已散失，缺乏校对的材料，所以南藏版脱误极多，且不免有杜撰的地方。后来成祖建都北平，因南藏版误谬太多，就于永乐十八年（1420 年），重新开雕藏经，到英宗正统五年（1440 年）刻成，通称北藏版。总计六百三十六函，六千三百六十一卷。然大体上虽比《南藏》好一些，也不见得十分完善，不过《南藏》每页是六行十七字，《北藏》每页是五行十五字，形式上行数较疏，字迹较大就是了。

清朝的《龙藏》

清代在满洲时候，本崇信喇嘛教，后来入主中国，就尽力保护佛教，自然也将雕刻藏经看做重大事业。从雍正十三年（1735 年）起，到乾隆三年（1738 年）四个年头，刻成一部全藏，因卷端刻龙纹，所以叫《龙藏》。这部经是拿明朝《北藏》做底本，复增加新材料，总计七百三十五函，七千八百三十八卷。它的内容是比宋朝的藏经来得丰富。然皇家刻经的目的在于尊重佛教、流通法宝，并且前代既然有成例在先，为国家体面计，自应举办。但是当时经手校刊的臣工，未必个个尽职，所以这部《龙藏》，内容虽然庞大，也不能算善本。

第八章 《大藏经》的雕刻

《频伽藏》

清末宣统三年（1911年），上海频伽精舍拿私人财力，排印《大藏经》，世人通称为《频伽藏》。这部藏经，用日本弘教书院的缩印藏经做底本，而用四号铅字排印，比底本的五号小字鲜明得多，便于诵读。总计四十函，八千四百一十六卷。但弘教本是拿《高丽藏》做底本，并拿宋、元、明三藏本，校对同异，标列上眉，于学术上最有价值。频伽本则不然，将校刊记另作数卷，附在经末，检查甚为不便。并且全书校对不精，讹误太多。

影印《续藏经》

佛教遭唐武宗会昌时（九世纪中）的厄难，经教散佚，各宗重要论疏，多流传于日本。海禁未开的时候，明末清初，虽高僧辈出，因为不能窥见昔贤著述，十分遗憾。到清末海禁大开，国人方知道各宗散佚名著十之四五尚存于日本藏经书院刊行的《续藏经》里面。民国十一年（1922年），居士徐文霨、蒋维乔等，发起影印《续藏经》，由上海商务印书馆担任印刷发行，到民国十三年而成书。总计一千七百五十七部，七千一百四十八卷。

杨文会的刻经事业

此外还有单行本经典，是清末杨文会居士所发起的。我国向来佛经，只有全藏，绝少单行本，学者要从事研究，极为困难。文会于清同治五年（1866年），在南京创办金陵刻经处，刊刻单行本经论，并手定《大藏辑要》目录，依据这目录，以次付刊。杨文会与日本南条文雄订交，托他在日本访求唐代以来散佚的名著，得藏外典籍二三百种，选择其中最好的，精校刊行，又得到日本弘教书院缩影藏经，据以校刊。文会一生精力，悉用在刻经事业，其手校出版的经籍，在他生前，已多到二千卷，校刊极精，便于学者。当时听见文会的高风而继起的，如湖南，如扬州，都设有刻经处。文会殁后，北平、天津也都创办刻经处，所印经典版本款式，都依文会成规，合在一起，就是一部《大藏辑要》，所以文会在近代佛教的影响异常伟大。

第二节
国外雕印的大藏经

高丽版

宋太宗淳化二年（公元 991 年），高丽遣韩彦恭来中国，请去蜀版《藏经》一部，就有两次雕刻藏经的大事业：第一次雕刻的时代，传说不一，大约从显宗十一年（1020 年）开始经过四朝到宣宗四年（1087 年），费六十七年的长时间，全部方才告成，总计五百七十函，五千九百二十四卷。其中除大部分依据蜀版外，复搜集开元以后新译新撰的经典（蜀版只依据开元录，开元以后的译述没有收入），所以内容增加不少。这初雕版到高丽高宗十九年（1233 年），蒙古来侵，经过兵燹，经版全部烧毁。高宗既苦蒙古的侵略，自量国势，又不能和他抵抗，只有仰仗佛力保佑，以救国难。就在二十三年（1236年）重新开雕大藏，直到三十八年（1251年），经十五年方告成。这时高丽所藏旧经，有宋蜀版，有契丹新刻成的契丹版，又有初雕旧本，拿这三本比较对照，严密勘定，成功这部最精的版本，通称为再雕版，总计六百三十九函，六千五百五十七卷。后世学者论及藏经，必推尊《丽藏》，谅非无故。著者曩年到日本，曾在某寺亲见这本，精美无伦，日人对我说："现在日本政府，已规定《丽藏》为国宝，不许流传到外国里去呢。"

契丹版

宋朝雕印蜀版，不但影响到高丽，就是契丹国，也受了刺激，促成雕刻藏经的事业。本来契丹建国，先于赵宋五十余年，其努力提倡文化，也比宋早，如今眼见蜀版藏经告成，如何能不着急？并且彼国素来也尊重佛教，就觉得雕印《大藏经》是不可缓的事了。开雕年代大约在兴宗之时（1031—1054年），到道宗时（1055—1101年）完成。《辽史》（契丹后称辽）第一百五十一卷《高丽传》有云："清宁八年，送藏经一部于高丽。"清宁就是道宗的年号。但是契丹本也久已散佚，内容怎么样，无从考见。唯清代王昶所撰《金石萃编》第一百五十三卷载有志延所做《旸台山清水院创造藏经记》云："印《大藏经》，凡五百七十九帙。"就是指契丹版，可见在蜀版四百八十函以外，也增加不少。

日本版

　　梁代末年（六世纪中），佛教经典已流传到日本。到唐朝时，日本人玄昉入中国留学二十年，于唐玄宗开元二十三年（公元 735 年）归国，携去经论章疏五千余卷。到宋朝时，东大寺僧奝（音刁）然到中国，宋太宗待他很优，得以游览五台山和各处佛地。这时刚刚是蜀版藏经刻成的第二年，太宗雍熙四年（公元987年），奝然归国，太宗拿藏经全部赏给他，这是日本得到全部《大藏经》的开始，后世也就注意刊印佛经，所刊零本不少。复听见高丽有再雕版，就竭力向高丽请求，至十余次方得到一部。到宽永十四年（1637年），有僧人天海依靠德川氏保护的力量，创设雕经局于东睿山宽永寺，开雕全藏。到庆安元年（1648年）经过十二年而告成，总计六百六十函，六千三百二十三卷。这是活字木版《大藏经》，世称之为天海版。

　　到明治的时候，印刷术大有进步，日人岛田蕃根等在东京创办弘教书院，与增上寺僧行诚共同排印五号活字小本藏经，自明治十三年（1880 年）起，至十八年（1885 年），经过六年而告成，总计四十八帙，八千五百三十四卷，通称为缩刷版。这部经是用《丽藏》做底稿，再拿宋元明三本详细校对，标记异同，列于上眉，并且全书都加过句读，便于学者研读，最为特色。

藏经书院的正续藏

明治三十五年（1902年），京都藏经书院用《明藏》做底本，复刊行《大藏经》，用四号活字排印，比缩刷版字体大，也是全部加过句读，阅者易于醒目。到三十八年，经过四年而告成，总计三十七套，六千九百九十二卷。因为卷端有卍字，通称为卍藏版。藏经书院又刊行《续藏》，于明治三十八年（1905年）起，到大正元年（1912年）经过八年而告成。版式字体，和《卍藏》一律，内容甚富，我国唐以后久经散佚的注疏，大部分被它收入，总计一百五十一套，七千一百四十八卷，名曰《大日本续藏经》。惜不久此经经版遭火灾，唯商务印书馆影印本，现尚流行，这是极可宝贵的。

到大正年间，高楠顺次郎等于大正十二年（1923年），发起《大正新修大藏经》，比较从前的藏经，多有革新的地方。其编纂则依学术的基础，校对不但用宋、元、明、丽等旧本，并且采用近代西域诸国地下发掘的珍籍，和我国敦煌所出唐人写经，经中人名、地名、术语，又拿梵文、巴利文一一对照，这实在是近世最善的版本。后来日本遭大地震的灾患，这事业几乎挫折。高楠氏等苦心经营，到昭和三年（1928年），竟得全部告成，总计五十五函，二千三百三十六部，九千零六卷。

第八章 《大藏经》的雕刻

【问题】

一、宋太祖何故要雕刻《大藏经》?

二、明朝《南藏》与《北藏》的分别?

三、《龙藏》在何时雕刻?

四、《频伽藏》的内容如何?

五、《续藏经》的内容如何?

六、单行本经典是何人刊印?

七、《高丽藏》的内容如何?

八、契丹雕刻《藏经》在什么时候?

九、日本雕刻的《藏经》有几种?

第九章

佛教的研究方法

第一节

佛教大体的研究

佛教自来没有入门书

凡是研究一种学问，总须先知道它的大体，然后再分门专攻。前者就是概论，初学的人应由这入手，后者就是各论，那是专门深造。如今要研究佛教，也是这样。但是古来传下的佛教书籍，关于概论的极少，近代杨文会居士，他自己从《大乘起信论》入手，后来教授学人，就拿《大乘起信论》做入门书。然这部论说理颇深，又是一家的见解，绝不能包括佛教全体。又有人主张初步读《起信论》，外兼读《华严原人论》的。这部论是华严宗第五祖宗密所做，内容于儒、佛两教一一比较；又拿佛教各宗教理的深浅，历历说明很是详细。然彼著书的本意，是要推尊华严，抑制他宗，也是一家的见解，不能包括佛教全体。此外杨文会有自著的《佛教初学课本》，用三字经体裁，虽便诵读，也不易叫学子了解。范古农所做的《佛教问答》，只限于问答体，不能始终一贯。著者从前也曾做过《佛教浅测》（见本书附录一），也觉过于简单，不能满足学人的希望。如今这部书，就为应这需要而做的，于佛教的大体，既已包举无遗；全书用白话文，又易于了解。照现在出版品而论，这确是最合于初学的书。学者读过以后，如要再进一步，可以读我的《佛教概论》，这部论的内容，要比较高深一些。

第二节
佛教历史的研究

印度国民缺乏历史观念

一切学术，总有它的来源和发达变迁的因果关系。所以历史的研究，极为重要。但是佛教最是特别，向来不重视历史，这是什么缘故？原来印度的国民性，喜用幽玄的思考，缺乏历史的观念，所以佛典中，关于历史材料，错乱荒诞，不可究诘。时代相差几百年，不算稀奇。叙一人的事，甲书中可说为圣人，乙书可斥为恶徒，极端相反的异说，可以并传下来，这是佛典历史特有的现象。至于附会神话，离奇变幻更到处皆然。况且佛教从释迦牟尼传到如今，有三千年的长久；分布区域，南则由锡兰到缅甸、暹罗、南洋各地，北则由中亚、西域到中原、西藏、蒙古、满洲，乃至朝鲜、日本，范围又

第九章　佛教的研究方法

这样广大。所以研究佛教历史，比较他种学问，特别困难。近世经过西洋学者用科学的方法，逐渐整理，日本学者继之，佛教的历史始有系统可寻。我国旧时的佛教徒，也受印度的影响，不晓得注意历史，就是偶有撰述，也只限于传记及编年，要从旧时典籍寻觅一部有系统的佛教通史，绝对没有，学者不胜遗憾。本书第二、第三章和第五、第六章颇涉及印度佛教的历史，第七章涉及中国佛教的历史，于佛教上向来最缺乏的史料，特别注重搜集，就为弥补旧时的缺憾起见。学者既得了这种历史知识，当更做进一步的探究。就现在出版的书籍而论，关于印度方面的有吕澂所做的《印度佛教史略》；关于中国方面的，有我近著的《中国佛教史》，倘拿这两书细看一遍，于佛教全部历史当可了然，不致像从前佛教徒那样模糊了。

第三节
佛教教理的研究

佛教最后目的

研究佛教的主眼就在教理。教理明白，然后依理修行，脱却生死的迷境，进入涅槃的悟境，方是佛教最后目的。上面各章所讲的，尽管千言万语，可以说都是为明白教理的预备。但教理极其广，几千卷的藏经无一不是讲教理的，并且各宗有各宗的教理，我们要研究如何下手呢？这可不必虑，自有执简驭繁的方法。

前文曾说过，根本佛教是四谛（第四章第二节），无论各宗教理，讲得如何精深广大，均从四谛推演出来。如今将各经典所讲的共同原理提出，加以解释，探得教理的核心，以后再研究各宗专门的学说，就不至于望洋兴叹了。

第九章　佛教的研究方法

经典的共同原理

各经所讲的共同原理，通称为五蕴、十二处、十八界三科。是从苦集二谛，推演而出。今分别加以说明：

【五蕴】

外而世界，内而身心，种种物质，种种精神，纵横错杂，不可纪极。倘剖析起来，无非是许多元素聚合积集而成的。佛教为之起一名称，叫做蕴，蕴是积聚的意思。又拿这积聚的物质精神，分为五大类，叫做五蕴。五蕴是色蕴、受蕴、想蕴、行蕴、识蕴五种。这五种中，拿现在哲学上分类来说，色蕴就是物，受、想、行、识四蕴就是心，世间一切事事物物，可以物心二元包括无遗。所以佛教的五蕴，也就包括宇宙万有，毫无遗漏了。

色蕴分析起来，有五根五境：我们的眼、耳、鼻、舌、身，叫做五根。眼见色，耳闻声、鼻嗅香、舌尝味，身觉触（寒、暖、痛、痒等感受）。这色、声、香、味、触五种外境，是我们眼、耳、鼻、舌、身五根的对象，叫做五境。我们想想看，宇宙万有，这样复杂，然而克实说来，除掉色、声、香、味、触五境以外，还有什么东西？假如我们没有这五根的感受作用，那么宇宙万有，一件都没有的。所以佛家总称五根五境为色蕴，包括一切的物质。

受、想、行三蕴，是讲心理发生的次序。我们的心，是什么样？从前的人，拿左胸里面跳动的肉团，叫做心。如今生理学考证明白，那是发血的器官，并不是心。心是脑神经的作用，似乎可以算定论了。然而有一种单细胞原始动物（阿米巴），它并没有神经，也有感觉作用，可见脑神经还不过是心的发动机关，不见得就是心的本体。佛教讲心的发生次序，第一步为感受，和现在心理学第一步先讲感觉，同出一辙。感受从环境而起，我们碰到的环境，有顺境有逆境。碰到顺境，就觉得快乐，这叫乐受；碰到逆境就觉得苦痛，这叫苦受。还有碰到不顺不逆的境，无所谓乐，无所谓苦，苦乐两舍，这叫舍受。我们自婴孩到成人，心理上积聚的感觉，不出这三受。所以叫受蕴。

心中积聚了许多感受，这苦、乐、舍等念头，忽起忽伏，时往时来，就有对境想象事物的作用，这叫想蕴。

想象不已，就有作善作恶的动机，由心行动，发现于身、口，这叫行蕴。

受、想、行三蕴，讲明心理发生的次序，很是精切。前说脑神经只是心的发动机关，不是心的本体，可见别有无形的心灵在那里。然在佛教早已说明心灵的本体叫做识蕴。识蕴分析起来，有八个识聚合而成的，就是眼识、耳识、鼻识、舌识、身识、意识、第七识（末那识）、第八识（阿赖耶识）。

我们的眼球，好像一个凸镜，外物的影像射入其中就能见色。然有时候，心不在焉视而不见，这是什么道理？那是外物的影像虽然射入眼球却没有和眼根相对的缘故。佛教所说的眼根，不是眼球，是指球内的视神经而说。所以眼睛看见色，必有一定的条件，叫"根境相对"，方能发生眼识。眼识既生，就能辨别青、黄、赤、白等颜色，不相对就不能见的。

耳对声，也是如此。譬如室内挂一个时辰钟，一点起到十二点，按时发声。然而我们有时听见，有时听不见，就是心不在焉，听而不闻。可见耳之于声，也要听神经（耳根）刚刚和声音相对，方能发生耳识，辨别声音的高下长短。此外鼻对香，舌对味，身对触，都是这样。

至于第六意识，作用广大，不论有形的无形的一切事事物物，都是意根的对象。这对象佛经上有一特别名词叫做"法"。因为一切事物，都有天然的规则，所以拿"法"字来概括它。意根和法，刚刚相对，就发生意识。我们的妄心，完全是这意识作用，凡夫无一刻不是妄心用事，所以只认意识做心体。就是心理学，也只研究到意识为止。

佛家因为有禅定功夫，能叫妄心不起作用，这种功夫，能打破第六识，窥见内在的第七识。这七识中国人向来不知道，当然没有名词，只好翻译梵音叫末那识。梵语"末那"两字，译为执我。凡是有生命的动物没有不执持我见的。我们未曾打破第六识，不能窥见第七识的形状，然而也可以在它作用方面知道一点。试闭目一想心的现象，这第六意识一念去一念来，忽而想甲，忽而想乙，决不能老是拿住一个念头，注定在一个事物，永远不转变，这就可证明第六识是有间断的。然我们再想一想，就觉"我"字这个念头，自从出母胎以来（婴孩初生，就知道吃娘的乳，就是维持"我"的生命的一种本能）直到老死，是永远潜伏在心里，不间断的。可知执我的念头不在第六识的范围，而属于第七识的范围了。

至于第八识，也是佛家用禅观功夫，勘破第七识后，方才知道的。梵语的译音叫"阿黎耶"（亦译为阿赖耶），是含藏的意思。这识极其广大，宇宙万有，无论有生命、无生命的东西，都是这识所变出来的，所谓一切唯心所造，这心字就是指的第八识。倘欲详说，道理极深，既不易解，又限于篇幅。姑且拿含藏的意义，略说一说。第八识譬如田地。我们的受、想、行三种作用，一经动念，这个念头，就如种子，落在八识田中，无量数的观念种子，都含藏得进去。有时这种子，忽出现于脑海，我们就会记得起那件事体。所以我们数十年前的往事，忽然会想得出来，都是这八识的含藏作用。我们今生所做的善业恶业，身体虽死，这业力是含藏在第八识中，绝不消灭的。所以我们到老死时，这识最后离开躯壳，托生时，这识最先投入母胎，做生死轮回的主体（拿现在流行的话来说，仿佛像灵魂。但灵魂是限于有生命的，这识连无生命的东西，也是它所造的），就是这第八识。佛家超脱生死功夫，那是用种种方法去修行，将这识转成大智慧不再投入生死海，就成佛了。这八种识合为一蕴，叫做识蕴（五蕴的具体内容，可参见附录四）。

【十二处】

眼、耳、鼻、舌、身、意，和色、声、香、味、触、法，叫十二处。处是生长的意思，是说由眼、耳、鼻、舌、身、意的六根，色、声、香、味、触、法的六境，能够生长眼、耳、鼻、舌、身、意的六识。

【十八界】

眼根有眼根所处的地位，色境有色境所处的地位。根境相对，发生眼识，眼识也有眼识所处的地位。这根、境、识三者，各有界限，所以叫界。眼界、色界、眼识界，耳界、声界、耳识界，鼻界、香界、鼻识界，舌界、味界、舌识界，身界、触界、身识界，意界、法界、意识界，总共有十八界。

有为法和无为法

以上蕴、处、界三科，可以包括宇宙万有。就是拿苦集二谛，详细分说。无论是物是心，都是有生有灭，所以又总括起来，叫做有为法。佛家教人修行，息灭妄心，转成智慧，脱离蕴、处、界的生灭境界，进入不生不灭的涅槃境界，就是道谛、灭谛。涅槃没有生灭，所以叫无为法。一切经论，大概都是说明有生灭是幻境，不生灭方是真境，教人舍有为法而入无为法的。知道这共同原理，教理就不难明白了。

第四节

经论的研究

经、律、论三藏，律是佛家的法典，专重实行，不关学理。所以研究佛学，只以经论为主。但是要研究经论，十分困难。约举起来，大概有三点：

第一，名词的难解。佛典中名词均含有特别意义，不像普通名词可以寻名索解。况且各种学术，名词的繁多，殆莫过于佛典，无怪初学的人一看见许多名词，就退缩了。

第二，文章的深奥。佛典的文章，也和普通文章大不相同，这是因为从印度文翻译过来的缘故。印度文法，名词动词的位置和汉语刚好颠倒，译为汉语，自然不能十分流畅。何况翻译的语句，都是唐宋以前的文体，今人读起来，如何能够容易明了。

第三，道理的幽玄。佛教的所含哲理，比任何宗教来得精深。初学的人要通晓这种精深博大的学说，谈何容易。

有这三种困难，所以学者对于经论虽然有志研究，却往往掩卷叹息，不得入门。著者三十几年前，就喜欢看佛典。得到一部经，或一部论，不管什么，便从头到尾，研读一遍，虽然读完，实在未解，然深晓得它的道理是极高深的。于是拿来再读，觉得似解非解，只得暂时搁置。隔多少时，又拿来阅读，甚至三读四读，不肯罢手，然终不能十分明了。这样徘徊门外，几乎十多年。

民元（民国元年，即 1912 年）以后，到北平，遇见了许多善知识，或请他口讲或执经问难，方才得到门径。自后凡遇到法师讲筵，总去列席静听，回来自己研究。近十几年来，始于大小乘、性相各宗，均有相当的认识。如今将我的研究经过情形报告给读者，可勿若我的迂回曲折，走许多冤枉路，要十多年方才入门。

如何能不走冤枉路呢？最要紧的就是初入手研究，总得有一个先生或朋友替你讲解。倘然得不到别人来讲解，那么看完这本书后，于佛典的特别名词和教理已经知道一点，就可拿法相宗的两部入门书，先下手研究。一部是《大乘广五蕴论》，一部是《大乘百法明门论》。倘然能拿这两部书研究一遍，就于佛典中的名词，可以懂得一大部分。从这以后再看别种经论，可以慢慢的了解。如今拿这两部论的内容，介绍于下：

法相和法性的意义，前文已说过（第七章第三节）。法相宗的经论，可分两大类：一种是从法相讲到法性，

第九章 佛教的研究方法

就是先讲色法，再讲心法；一种是从法性讲到法相，就是先讲心法，再讲色法。所以法相宗又可分做两宗，前者叫法相宗，后者叫唯识宗。《广五蕴论》是属于法相宗，《百法明门论》是属于唯识宗。

五蕴论是印度世亲菩萨所做的，后来安慧菩萨又替它添些解释，意义较广，所以叫《广五蕴论》。论中所讲的，就是色蕴、受蕴、想蕴、行蕴、识蕴。色蕴是色法，识蕴是心法。这是从法相讲到法性的。其中包含甚广，宇宙万有都在色蕴里面；八种心识和心的动作，都在其余四蕴里面。讲完五蕴，复说十二处、十八界。佛典中重要名词和紧要道理，大概都讲到的。这论是唐朝时地婆诃罗（Divākara）翻译过来，一向没有人做过批注，著者从前用近代浅近文字替它做过一部注，叫《大乘广五蕴论注》（商务印书馆出版），读者看这部注，就于本文不难了解。

《百法明门论》也是世亲菩萨所做的。内容是问答体，讲一百种法和两种无我。一百种法里面九十四种，是生灭的有为法，六种是不生灭的无为法，教人脱离有为而进入无为。卷末讲世间无生命的法，和有生命的人，都是生生灭灭，变迁不停，自己分毫没有主宰，实在是无我，叫做人无我、法无我，这就是两种无我。书中讲有为法时，先讲心法，再讲色法，是从法性讲到法相，材料仍不出蕴、处、界三科，可和五蕴论互相发明的。这论是唐朝时玄奘法师所译，他的弟子窥基做批注，叫

《百法明门论解》，后来人做的注疏，还有好几种。这样有批注的本子，各地佛经流通处都有出售。比较《广五蕴论》，向来无人注过，却恰相反。可惜旧注文字太深一点，然都可以做参考的。

以上两部论，不单是法相宗的入门书，并且为研究各种经论的入门书，这是什么缘故？因为法相宗讲宇宙万有的一切法比各宗来得详细，所以包含的名词最多。研究经论第一重难关在名词，那么从这宗入手，懂得名词的大部分，再看他种经论，可以减却许多困难了。

既得入门以后，就应该研习各种经论，或专门研究一宗的经典。看各人性质近于何宗，就习何宗，不必拘泥。

【问题】

一、古来有佛教的入门书否？

二、印度国民何故缺乏历史观念？

三、佛教最后目的是什么？

四、经典的共同原理是什么？

五、什么叫蕴、处、界？

六、有为法和无为法的分别？

第十章

佛家的修行方法

第一节
戒、定、慧三学

前文第四章里，曾经说过，释迦的根本教法是苦、集、灭、道四谛。我们既已知道人生是苦果，今生所以结成这苦果，是前生所造的业和烦恼聚集而成的。我们如果听其自然，顺着生生死死去轮转，也就罢了，倘若要超出这苦海，解脱生死的苦痛，就不能不讲修行方法。这方法就是四谛中的道谛，叫八正道（见本书第四章第二节）。要实行这八正道，有一定的下手次序，就是戒、定、慧三种学问。

戒学

什么叫戒学呢？人们的动作，总不外乎身、口、意三业，戒就是防止恶业而定的规条。释迦在世时候，为防止弟子们有作恶的行为，立下种种戒条。释迦灭

第十章　佛家的修行方法

度后，优波离诵出戒律（见第五章第一节），成为定制，就有律藏。以后分派愈多，条文更细密，比丘有二百五十戒，比丘尼有三百四十八戒，成为了专门的学问。但是戒条尽管繁多，都是从根本的五戒推演而出。所以我们只要知道创立五戒的本意，就得到戒学的要领了。

五戒

五戒之中，第一是不杀戒。人类和畜生，同是有生命的动物，如今为贪自己的口腹，杀害他物的生命，来滋养自己的生命，论情论理，都说不过去。然而人们竟因向来习惯，视为固然，岂不可怪。昔颠云禅师有云："数百年来碗里羹，冤深如海恨难平；欲知世上刀兵劫，须听屠门半夜声。"何等痛切。动物被人类宰杀，不过力量不敌，无可如何，怀恨报复的念头何尝没有。这是佛家第一要戒杀的意思。

第二，是不盗戒。物各有主，不是我的何可妄想窃取，这理人人都易明白。但是立戒的本旨，那是对于他人的物，丝毫不生一点妄取的念头。譬如公家的东西，无论一张纸、一枝笔，我不是公事，绝不滥用，这就不容易了。这样方算是不盗。

第三，是不邪淫戒。我们投胎做人，就是因为父母的淫欲而来，所以淫欲是生死的源头。如今要超脱生死，当然要在根本上解决，所以要戒淫。出家人要完全断绝淫欲，立戒格外的严，就叫不淫戒。若是在家人，都有妻室，不容易立刻断除，故立下不邪淫戒。就是除自己妻室外，不可对他人妻女，有邪淫的行为，叫做不邪淫。

第四，是不妄语戒。离开事实，妄造虚言，这种颠倒是非，诳惑众听，是最不好的行为，也是人们最容易犯的毛病，所以要立这戒。

第五，是不饮酒戒。饮酒足以乱性，令人昏乱。再推广地说，释迦在世时候，还没有吸烟的风俗，所以不曾立不吸烟戒。照现在的习俗，应该立不饮酒不吸烟戒才是。

前文曾经说过人们的根本烦恼，是贪、嗔、痴（见第四章第二节），一切烦恼都从这出，所以叫三毒。三毒先以意念做动机，然后发现于身的方面，而为杀、盗、淫的恶业；发现于口的方面，而为妄语的恶业；发现于身、口两方面，而为饮酒的恶业。可知五戒，就是对症发药，治这三毒的毛病。不杀是戒嗔的，因为凡是杀念，总是由嗔而起的；不盗所以戒贪，凡盗念总是由贪而起的；不淫所以戒痴，男女的欲，总是由痴而起的；不妄语是兼戒贪、痴，大概妄语无非是想隐藏自己罪恶，或想诈取名利，隐藏是由痴而起的，诈取是由贪而起的。这贪、嗔、痴三毒，是人们有生以来，本性固有，对此立不杀、不盗、不淫、不妄语四戒，是治本性的病，所

第十章　佛家的修行方法

以这四种叫性戒。至于饮酒虽和贪嗔痴也有关系，但是因后天的欲望而起，不是本性所固有的，所以饮酒一戒，叫做遮（禁也）戒。

人们果能实行这种戒学，自然烦恼慢慢减轻，去恶进善，自有把握，所以学佛第一要从戒入手。

定学

什么叫做定学呢？定是治心的最要功夫。人们的身心苦果，既然是业和烦恼所聚集的因造成的，可知要解脱这苦果，先要断这苦因。业和烦恼，无非从心发生，试返观我们的心，是怎么样状况？那是前念去、后念来，念念相续不已的无数妄念就是了。于此可下断言，人们生死的根本（因），就是这个妄念。既已明白这理，所以治心功夫是最要紧没有的了。戒学既除掉身口方面的恶业，定学就专从心的方面下手。下手方法大概可就预备及实行二段，略说一说：

（1）预备。以环境为先，当择寂静的地方，免得纷乱心意。所以出家人住的寺院，多在名山。我们在家人，不能入山，但在家中择一间净室，也就可以。既得到相当环境，然后先用调身调心的功夫。身的方面，饮食宜有节，不宜多；睡眠宜有一定时间，大概以八小时为度；平时举动，勿可粗暴，使气血平和，肢体愉快。心的方面，妄念用事从吾人有生以来就是这样，所谓"心猿意马"，要它调伏，真是不易，然不可怕难，慢慢做去，久后自然有效。须知我们的动作，不外行、住、坐、卧四种威仪，除卧时我们没有把握外，其余行、住、坐三威仪，我们要时时刻刻留意，不要听他胡思乱想。如治乱麻，耐性徐徐理之，自有头绪。

（2）实行。就是每日早晨或晚上，到静室中去打坐。这也要在身心两方面注意：身的方面应置一方凳，上铺厚软的垫子，臀部再垫高一二寸，然后盘足端坐于上，或用右腿加于左腿，或用左腿加于右腿，都可随便。左右手交握，安于小腹之下。阴囊要悬空，勿使受压。心的方面，就要一切放下，将妄念扫除干净，只存一个正念，犹如明镜，不染一尘。初学的人，于这种功夫，最难下手。但有一种简便方法，就是数息法。鼻端的气一出一入叫一息，入坐以后，怕心意散乱，就可留意一出一入的息。第一息数个一字，第二息数个二字，如是一直数到十字，再回转来数一字，循环默数，自一至十，一点不乱，念头全注在数字上，纷乱自然可免。况且息是属于身的方面，数是属于心的方面，今用这法，可使身心自然合而为一。这法是初习定学的人最合适的。要知道定学的详细情形，可参看我的《因是子静坐养生法》。

第十章　佛家的修行方法

慧学

什么叫慧学呢？这慧字极难说明，因为是定力所生的大智慧，到这地步就能断妄惑（妄念自然不生）、证真理。这不是我们平常的小智小慧。我们没有由定生慧的功夫，要来说这慧学，如何能明白呢！然而不说又不可，姑且略说它的本体，再用譬喻以为证明。原来我们的心，固然是妄念用事，然而我们的真心是不动的，不过被妄念遮蔽，真心就不能发露了。譬如明镜，被灰尘所遮蔽，好像失掉照物的作用，其实镜的本体，毫无欠缺，只须将灰尘拂拭干净，镜体就仍旧发光，照物无遗了。真心也就像这样，当妄念用事时候，如镜被尘蔽，真心完全隐藏，我们若用定学扫除妄念，归到一个正念，久而久之，妄念脱落，真心的灵光自然显露，这时也如明镜照物无遗。这就叫做慧学。

戒、定、慧三学，是佛家的根本功夫。三藏中的律藏，是讲戒学的；经藏是讲定学的；论藏是讲慧学的。小乘从四谛用功，道谛中的八正道，就是戒、定、慧。大乘菩萨的六度（见第四章第二节），也是戒、定、慧。今用表示之如下：

因是子佛学入门

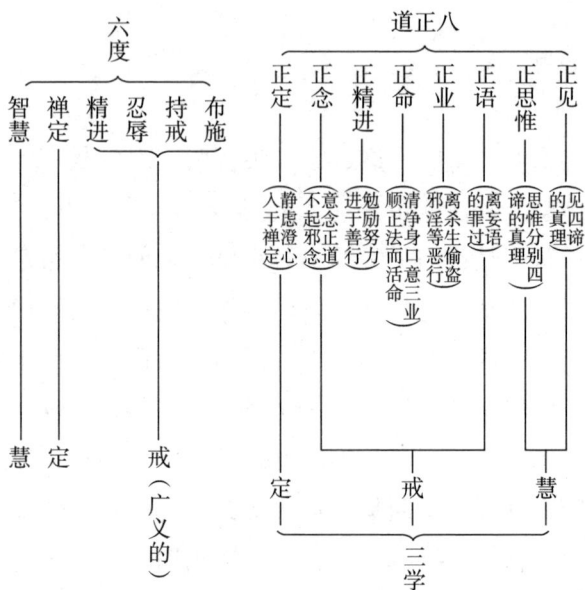

六度

布施
持戒
忍辱
精进 ——— 戒（广义的）
禅定 ——— 定
智慧 ——— 慧

八正道

正见 ——— 见四谛的真理
正思惟 ——— 思惟分别四谛的真理
正语 ——— 离妄语的罪过
正业 ——— 离杀生偷盗邪淫等恶行
正命 ——— 清净身口意三业顺正法而活命
正精进 ——— 勉励努力进于善行
正念 ——— 不起邪念意念正道
正定 ——— 入静虑澄心于禅定

慧

戒

定

三学

第二节
禅　观

　　禅是静虑，观是观心，实在就是定学。但各宗都依据定学各倡本宗的禅观方法，禅宗并且专以禅观成为一宗，所以应另立一节，加以说明。

　　各宗的禅观，如三论宗的实相观，法相宗的唯识观，天台宗的止观，华严宗的法界观，倘若一一详说，恐占篇幅，况且三论、法相两宗的观法，现在已无人能修，近乎失传。就是天台、华严两宗的禅观，实际上也很少修习的人。如现代弘扬天台宗的谛闲法师，所传教义虽是天台，自己修习也从参禅得力，晚年且专修净土，并未从事止观。现在弘扬华严宗的应慈法师，所传教义虽是华严，他率领弟子在禅堂用功，也完全是禅门方法。可见现在只有禅宗尚有历代祖师相传的禅观，遗风未坠。著者专就禅宗说禅观，也是事实上应该这样，不单为减省篇幅而然。

小乘禅的传入中国

禅观自汉末到现在，也经过多少变迁。汉末安世高所译许多禅经都属小乘禅，其中所说的法门，大致不出四念处、五停心等类。

四念处，就是观身不净、观受是苦、观心无常、观法无我四种。我们既要脱离这苦果，应该返观自身，内储粪秽，外多汗垢，遍体是不干净的，就生厌离思想，这叫观身不净。我们感受顺境就快乐，感受逆境就苦痛。仔细观察，完全为外境所转移，实则各种感受，无非是苦，这叫观受是苦。我们的心，一念生一念灭，相续不已，没有一秒钟停止，这叫观心无常。世间一切事事物物，都是生生灭灭，了无主宰，这叫观法无我。

五停心，就是多贪不净观、多嗔慈悲观、多散数息观、愚痴因缘观、多障念佛观五种。人们贪、嗔、痴等烦恼，各有偏重，五停心是就各人偏重的烦恼，对症发药，叫他停心作观。如多贪淫的人，叫他做不净观功夫，观男女的身，都是十分不干净，贪念自然渐渐减少，所以说多贪不净观。如多嗔怒的人叫他自己返观，我与众生，都是平等，既然平等，何可发怒，损害他人，慈悲的念头就会起来，所以说多嗔慈悲观。人们要进静室，用打坐功夫，起初大都心意散乱，不能入静，下手方法莫妙于数息，前文讲定学时已说过了，就是多散数息观。

第十章　佛家的修行方法

对于世间的事事物物，不晓得它是内因外缘凑合而成，了无实在，总以为是实在有的，因此就生执著，不肯放舍，这是愚痴。治这愚痴病，要他知因缘凑合的道理，所以说愚痴因缘观。还有一种业障深重的人，要想修行，就生出种种障碍，叫他修不成。这种人自己力量不够，要仰仗佛力来帮助，所以说多障念佛观。

这种小乘禅法，从汉末流行到东晋，因为方法上面多冠以四五等数字，就通称"禅数之学"。

大乘禅的传入中国

到东晋时，佛陀跋陀罗译出《达摩多罗禅经》，姚秦鸠摩罗什译出《坐禅三昧经》、《思惟略要法》等，大乘禅就传入中国。以一切诸法，都是因缘所生，毕竟是个空相，从这着力，以修禅观，此小乘进一步，也称为菩萨禅。六朝刘宋时，菩提达摩到中国，倡不立文字的禅观，从此禅观就自成一宗了。

达摩教弟子，既是以心传心，所以他的方法怎样，难于详考。传到第五祖弘忍，他的门下有两大弟子，名神秀和慧能。神秀才学很高，大众佩服，慧能并不识字，在碓房（舂米作坊）里工作，身操贱役。有一天五祖令弟子各依自己见解，做一偈文，看看他们的功夫怎样。神秀就做一偈道："身如菩提树，心如明镜台；时时勤拂拭，勿使惹尘埃。"拿此偈贴在大众共见的地方，众人个个都叹服。刚刚慧能从碓房走出，问众人议论的什么。众人拿此偈文读给他听。慧能说这偈不好，众都笑他，他就口头改成一偈说道："菩提本非树，明镜亦非台；本来无一物，何处惹尘埃。"照他的见解，真合达摩直指人心的本旨，所以弘忍就拿法传给他，称为第六祖（见《六祖坛经》）。

神秀的用功方法，慢慢地拿心中妄念拂拭干净，是渐进的。慧能的用功方法，豁然悟到妄念本来没有，用不着去拂拭，是顿悟的。后来神秀的渐法，行于北方，称北渐，慧能的顿法，行于南方，称南顿。禅宗就分南北两派。南禅后来又分五派（五派的名词，见第七章第三节）。

坐禅与参禅

禅宗的禅观，无论小乘禅大乘禅，起初都拿坐禅为主。坐禅是盘膝端坐，心中不思善、不思恶，脱却迷悟生死的妄念，达到安住不动的境界。到陈朝临济宗盛行，改用参禅的方法叫做参话头。就是抱定一句没有意味的话头，如"念佛是谁?"或"父母未生我以前的本来面目?"不论行、住、坐、卧总是咬定这句话头，丝毫不放松，极力参究，自有豁然贯通，心境开明的一天，就是悟道。这种禅观法门，简单直捷，所以到如今我国临济宗的大丛林，还是沿用这法。

第十章　佛家的修行方法

　　禅观的悟道境界，究竟是怎样，笔墨难以形容得出。大概功夫到纯熟时候，知、情、意的作用均不复起，一切妄念，顿然消失，鼻端呼吸气息也几乎断绝。这时唯有一片光明，内面看不见身心，外面看不见世界，悟道的光景，就是这样。

第三节

念　　佛

　　念佛是净土宗的法门，但是现在天台华严各宗，都注重念佛。就是禅宗，也要禅净双修。这可考见禅净两宗，最适合于我国社会，比较他宗独盛的缘故。所以念佛方法也另立一节来说明。

定心念佛与别时念佛

　　净土宗在东晋慧远初创立时，也兼用禅观，并非专念阿弥陀佛的名字，有所谓定心念佛、别时念佛法门。定心是心中默想佛的相貌、佛的威德，就是禅观。别时，是指一定的时间，白天三时，夜间三时，于这一定时间，心想佛在面前，口唱佛名，由此想到将来往生西方佛国。这是慧远传下的念佛法门。到唐善导大师，专为接近下级人民，所以单用持名（口唱南无阿弥陀佛）的方法。

越简单，越容易普及，一直传到如今，全国学佛的差不多十分之八九，都用这法。

观想的方法

我们要说明这方法，应该拿观想和持名两种分别来说。《观无量寿佛经》（无量寿佛即阿弥陀佛）中，有十六种观法，说观想最为详细。今节录于下：

第一，日想。正坐西向，谛观落日，令心坚住，专想不移，见日欲没，状如悬鼓。既见日已，闭目开目，皆合明了。是为日想观。

第二，水想。见水澄清，亦令明了，无分散意。既见水已，当起冰想。见冰映彻，作琉璃想，此想成已，见琉璃地，内外映彻。是为水想观。

第三，水想成时，观之明了，闭目开目，不令散失。如此想者，名为粗见极乐国土。是为地想观。

第四，次观宝树，行行相当，叶叶相次，于众叶间，坐诸妙华，涌生诸果。见此树已，茎、枝、叶、花、果，皆合分明。是为树想观。

第五，八功德水想（一、澄净，二、清冷，三、甘美，四、轻软，五、润泽，六、安和，七、饮时除饥渴，八、饮后能长养诸根）。极乐国土，有八池水，一一水中，有无数莲花。是为八功德水想观。

第六，国土之上，有五百亿宝楼。其楼阁中，有无量诸天，作天伎乐，又有乐器，不鼓自鸣。此想成已，名为粗见极乐世界宝树、宝地、宝池。是为总想观。

第七，于宝地上，作莲花想，一一叶上，皆放光明，其光如盖，遍覆地上。此莲花台，众宝真珠，以为校饰。于其台上，自然而有四柱宝幢。是为花座想观。

第八，次当想佛。先当想象，闭目开目，见一宝像，身作金色，坐彼花上。见像坐已，心眼得开，了了分明，见极乐国。复作一大莲花在佛左边，想一观音菩萨像坐左花座。复作一大莲花在佛右边，想一大势至菩萨像坐右花座。此想成时，佛菩萨像，皆放光明，名为粗想见极乐世界。是为像想观。

第九，当观无量寿佛，身相光明，眉间白毫（白毫光），右旋宛转。佛眼青白分明。彼佛圆光，遍照十方世界。是为佛真身想观。

第十，次应观观世音菩萨，身紫金色，顶有肉髻，项有圆光。举身光明，照十方国；以手接引众生。是为观世音想观。

第十一，次观大势至菩萨，此菩萨身紫金色，亦如观世音。有缘众生，皆悉得见。是为大势至菩萨想观。

第十二，见此事时，当起自心，生于西方极乐世界。于莲花中，结跏趺坐（即盘膝坐），作莲花合想，作莲花开想。莲花开时，有五百色光来照身想。眼目开想，见佛菩萨满虚空中。见此事已。名见无量寿佛极乐世界。

是为普想观。

第十三，若欲至心生西方者，先当观于一丈六像在池水上，如先所说无量寿佛。于十方国，变现自在；或现大身，满虚空中；或现小身，丈六八尺。所现之形皆真金色。观世音菩萨及大势至菩萨，助阿弥陀佛普化一切。是为杂想观。

第十四，上品生观。

第十五，中品生观。

第十六，下品生观。

十六种观分四个段落

这种观心方法，就是净土宗的禅观。十六观中间，可分四个段落：

从第一观到第六观是第一段，是观想极乐国土。这国土在西方，所以先从落日观起。国土在池水上，故从落日而观到海水，由水而冰，渐渐变成琉璃地，是极乐国土，已显在前面。然后观树、观水、观佛所居的楼阁，这极乐世界，就完全现前了。

从第七观到第十一观是第二段，是观极乐世界中的佛菩萨。佛菩萨都坐在莲花座上，所以从下面观起，先见花座。再想我们习见的佛菩萨塑像，坐在花座上面。观想明了，然后移到无量、观世音、大势至的真身观。

第十二观到第十三观是第三段，就是想自己往生极乐国土，跌坐在莲花中间，起初莲花完全闭合，如在母胎，到莲花一开，有佛光来照，眼目开明，看见佛菩萨，这就是往生成功，花开见佛。然后重复观想佛菩萨，在池水上，或在十方，变化自在，普化一切众生。

第十四观到第十六观是第四段。因为修净土的人，根器有利有钝，功夫有深有浅，所以往生西方也分上中下三品。每品中间，又分上生、中生、下生三品，共有九品。这最后观想，是令修行人知道往生的品有高下，可以格外努力的意思。

持名的方法

次说持名，执持阿弥陀佛名号，方法虽简单，然而也有好几种。就念佛的方法而说，有觉性念、观相念、持名念三种。

觉性念，就是念佛时候回光返照（即闭目观心）自己的本性，本来同佛没有两样，念到一心不乱，念念相应，这心就是佛了。《华严经·兜率偈赞品》："以佛为境界，专念而不息；此人得见佛，其数与心等。"这四句文是说心中拿佛做对象，一心专念不歇，久久就能看见真佛。一众生念佛，得见一佛；多众生念佛，得见多佛。见佛的数目，和众生心的数目相等。这叫做觉性念。

观相念，就是依《观无量寿佛经》的观法，观想佛

第十章　佛家的修行方法

身净妙，佛土庄严，心中观想，口中念佛。或是初学的人，直用塑像或画像，对之作观，专精念佛，这都叫做观相念。

持名念，就是不作观想，专持佛名，也有高声持、金刚持、默持的分别。发出高声，朗朗持诵，最易提起精神；默持刚好相反，单是心中默诵，完全不动口舌；金刚持介乎高声和默诵的中间，单动口而不发出声音。这可就各人的性质所近或时间和地方的关系，合宜于哪一种，就选用哪一种。这叫做持名念。

就念佛的声音而说，有和缓念、追顶念两种。

和缓念，声音是长而且缓的。先要将心中一切妄念统统放下，然后提起一个念佛的正念，鼻端一呼一吸的时间念一个"南"字，再一呼吸，念一个"无"字。如此逐字念去，声音极和极缓。倘若旋绕佛像，一面行走，一面念佛，以一步念一个字。虽然和缓，而一字一字，绵密不断。这叫做和缓念。

追顶念，是念南无阿弥陀佛一句刚完，第二句立刻追顶上去，中间不许有间断，妄念就无从发生。或预定一天，自早至晚，念个不歇，功夫纯熟，可延长到两天，更加增至七天、十四天、四十九天。念到妄念脱落，虚空粉碎，大地平沉，一法不立，方算得手。这法非精神强健勇猛刻苦的人不能用，用时也要留心，不可十分高声以伤气，不可努力默诵以伤血。这叫做追顶念。

就禅净双修而说，有禅定念、参究念两种。

　　禅定念，是坐禅而兼念佛，当澄心静虑，寂然不动时候，静极而觉，就拿这觉心，默念佛号。《坐禅三陈昧经》有云："菩萨坐禅，不念一切，唯念一佛，自得三昧"（三昧就是定），就是说禅定念佛。这是最上最稳的方法。

　　参究念，是参禅而兼念佛。于参究念佛是谁，并参究这念佛的心怎样生、怎样灭、怎样去、怎样来，参到尽头，妄念逼榨干净，豁然开悟，同前文所说悟道境界是一样的。

　　大凡有知识的人，对于念佛法门，总要怀疑，以为这是近乎宗教的神话。著者在三十余年前开始研究佛学的时候，也是这样。后来明白了净土宗的道理，方才觉到从前的怀疑，全然错误。如今拿这道理，简简单单说一说。原来我们这个身体，是无明妄心所造成，是虚幻的。这身体所凭依的环境、大地山河等也是妄心所造成的幻境。何以见得呢？如果不是幻境，是真境界，应该不生不灭，常住不变，方算得是真。现在我们的身，从婴孩到少年，到壮年，到老年，到死，是没有一刻不变化的。心中前念去后念来也没有一秒是不变化的。大地山河，骤看好像是永久，实则也在那里刻刻变迁，不过人们不能觉察，必要到火山喷火，地壳震裂，陵谷变迁以后方才知道罢了。

　　这等内而身心，外而世界，一切的幻境，既然都是妄心所造成，可见妄心是有生有灭的。而妄心所依而起的本体，那是真心，真心却是不生不灭、常住不动的实境。学佛是什么作用？就是返妄归真。既然一切幻境都是妄心所造，那么学佛下手方法，应该先来移动这个妄心，叫它慢慢地转到真心。所以各宗的方法虽然不同，而扫除妄念，归于正念，是共同一贯的。念佛方法就是收摄众念，归于一念，念到一心不乱，真心发露，我们现在所住的恶浊世界就立刻会变成极乐世界，一切唯心所造，绝对不是虚言。至于前文所说十六种观想，就是慢慢移转妄心妄境，归到真心真境的法门，目的和念佛是同一的。古来念佛功深，临终得往生西方的人，历史上不少实例。就是现在知友亲戚中间念佛得到往生西方的人，耳闻目见，也不在少数。可见这法门的巧妙，能够普及全国，实非无故。

第四节

持　咒

咒字的意义

　　咒是密宗所用的修行方法，梵语叫"陀罗尼"，译为总持，有"总一切法，持无量义"的意思包含在里面。佛法没有到中国以前，我国本有一种禁咒法，能发神验、除灾患。传布密教的番僧，有时持诵陀罗尼，也能发神验、除灾患，和禁咒法有相似的地方，所以翻译为咒。《大智度论》卷五云："陀罗尼者，秦言（这论是姚秦时鸠摩罗什所译，故称华言为秦言）能持，或言能遮。能持者，集种种善法，能持令不散不失，譬如完器盛水，水不漏散。能遮者，恶不善根心生，能遮令不生，若欲作恶罪，持令不作，是名陀罗尼。"这是说持咒的力量，可以进善止恶。止恶作善的功夫，是修行下手最

第十章　佛家的修行方法

重要的。《佛地论》卷五云："陀罗尼者，增上念慧，能总任持无量佛法，令不忘失。"这是说持咒最后可以成佛的功用。念是念头，慧是智慧，持咒必定一念注定咒语，持诵既久，能发生智慧，所以增上念慧，是增加正念和正慧。念慧既然增加，就能担任保持无量佛法，令心中永久就不致忘记遗失，最后就可以成佛了。

密宗的持咒，对于身、口、意三方面，都有一定的规矩。每一咒，都有用手指结印的方式，名曰手印，是为身密；口中诵咒文，句句分明，毫无错误，是为口密；每一咒，都有佛菩萨的对象，心中观彼佛菩萨的种子字（以佛菩萨名字的第一个字母，代表佛菩萨的本体，叫种子字，如大日如来的种子，为阿字之类），是为意密。因为修行的人，身、口、意三方面同入于秘密的境界，妄念自然可以不起，功夫久久纯熟，就可以即身成佛的。这是密教修行和显教不同的地方。然而显教的经典中，附有咒语的也很多。如普通所念的《大悲咒》、《往生咒》等等，它的功用和密宗没有两样。不过显教修行，是拿持咒做助力的，密宗是拿持咒做主体的。并且密宗的咒，有手印，有观相，必定要阿阇梨（轨范师）亲口传授，方有效力。显教持咒，不必一定用手印、观相，可以随便传授，这是显密两教持咒方法不同的地方。

【问题】

一、戒、定、慧三学的内容？

二、性戒、遮戒怎样分别？

三、定学如何预备，如何实行？

四、小乘禅和大乘禅怎样分别？

五、禅宗南北两派何时所分？

六、坐禅参禅的分别？

七、定心念佛、别时念佛的分别？

八、持名的方法如何？

九、观想法有几种？

十、十六观分几个段落？

十一、咒字是如何意义？

十二、显密两教持咒如何不同？

第十一章

结　论

全书的旨趣

这部书已经完成，应该拿全书的旨趣，做一篇结论。

这书第一章，是佛学的界说。第二章说佛教的来源。第三章到第六章，说佛教成立的背景，和释迦生前身后佛教内外部的变迁盛衰，都是关于印度方面的史实。第七章、第八章，是说佛教传入中国方面的史实。第九章是说研究佛教的方法。第十章是说佛家实地修行的方法。

佛教最大目的，是教人修行，超脱生死苦痛，无论研究历史，研究教理，都是为修行的预备，所以拿这章列在最后，就是全部的归结。

【问题】

试就第一章至第十章说明其旨趣？

附　录

附录一
佛教浅测①

例言

一、此书为东南大学国学研究会诸君讲演，随手掇拾而成，文字意义，均力求浅显，故名《佛教浅测》。

二、佛教各宗派，学说不同。此书引导初学入门起见，立言唯期普通，不偏于何宗何派。

三、卷端先立一表，以便学者一览了然，以后即依表解释，不分章节。

四、此书成后，蒙友人梅撷芸、江味农二君多所删正。合志数语，以表谢忱。

---

① 1922 年 10 月起，蒋维乔任职江苏教育厅长的同时，兼任东南大学教师，主讲佛教哲学。次年，根据讲稿整理出他的第一部佛学著作《佛教浅测》，由上海商务印书馆出版。现收入本书。因最后"宗派"一节与第七章第三节"各宗的次第成立"内容相近，故以省略。

附　　录

佛教浅测一览表

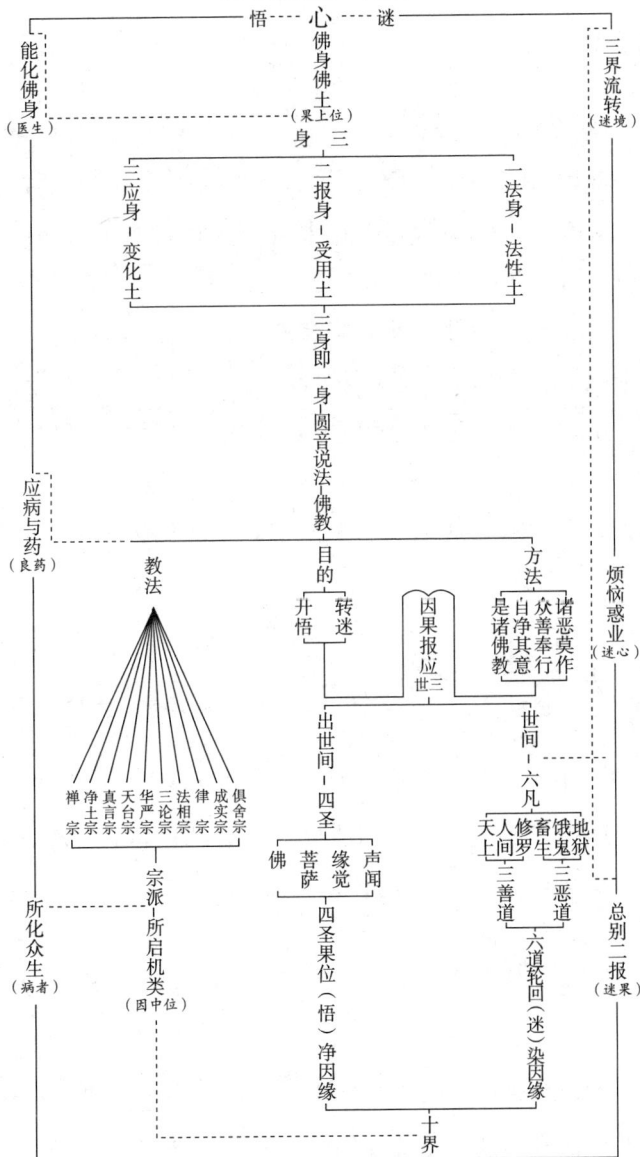

悟---心---谜

佛身佛土（果上位）

能化佛身（医生）　　　三界流转（迷境）

三　身

三应身－变化土　　二报身－受用土　　一法身－法性土

三身即一身圆音说法－佛教

应病与药（良药）　　烦恼惑业（迷心）

目的　　　　　　方法

升悟　转迷　　　是诸佛教　自净其意　众善奉行　诸恶莫作

因果报应 三世

教法

出世间－四圣　　　　世间－六凡

禅宗　净土宗　真言宗　天台宗　华严宗　三论宗　法相宗　律宗　成实宗　俱舍宗

佛　菩萨　缘觉　声闻　　　天人上间　修罗　畜生　饿鬼　地狱

四圣果位（悟）净因缘　　三善道　三恶道

宗派－所启机类（因中位）　　　六道轮回（迷）染因缘

所化众生（病者）　　　　　　　总别二报（迷果）

十界

169

心

佛家称心有四种：一、肉团心，今称为发血器官；二、缘虑心，通于八识之心王心所，然常就意识言之；三、集起心，即第八识阿赖耶分位，集诸种子，又能生现行，故云集起；四、真心，所谓如来藏心，亦名真如，今所讲之心即指此。此如来藏心，其体无相不可得，言语不能形容，思虑不能模拟，唯可就其用以解说之。生灭是用，非生灭是体，用不离体，故可即用以显体。吾人一念之起，即摄一切世间出世间，其用之广大可知。就其体言，佛与众生，了无差别；就其用言，则有迷悟之分。

法身

法身者，遍满世界，本有常住之佛身也。即如来自证之真如妙理，为佛自己所证，万法之所依，众德之所聚，故云法身。此法身所依，即法性土也。

报身

如来证悟真如之理，积福德智慧之胜因，而得相好圆满之果报，故云报身。为菩萨所见者也。

应身

应众生之机感，示现无量变化之身，曰应身。为二乘（大小两乘）凡夫及一切异生所见也。

三身即一身

三身实一体上之别相，法身指所证之体，报身、应身乃依此体所起之用。故云三身即一身。

圆音说法

如来说法，实以一音圆具众音之德。众生闻之，或解小乘，或解大乘，或顿解，或渐解。《维摩经》云："佛以一音演说法，众生随类各得解。"此之谓也。

佛教之目的及方法

佛教之大目的，即在转迷开悟，脱却三界之迷情，转开大悟之心眼，得大菩提，证大涅槃是也。其方法，则不外乎"诸恶莫作，众善奉行，自净其意，是诸佛教"四语。合目的与方法而论，不外因果报应，此报应通乎三世而言。

世间

迷此心者为六凡。六凡者，天上、人间、修罗为三善道，畜生、饿鬼、地狱为三恶道，统此六道名世间。佛化度此世间六凡，为说三界六道流转之相，业因感果之事，以示劝善惩恶之理，是为世间法，亦名人天乘。

出世间

明无漏清净之因果，净修梵行，以期出离迷界，是为出世间，其法则名出世间法。分言之，即小乘（声闻、缘觉），大乘（菩萨、佛），三乘（声闻、缘觉、菩萨），一乘（佛）。运载此乘而至果者，名为四圣。四圣者即声闻、缘觉、菩萨、佛是也。

四谛

四谛指苦、集、灭、道。谛者，审谛不虚之道理也。此为小乘声闻说法。迷界之果报皆苦。如吾人之身，苦多乐少，生者病死，时时刻刻，无不为无常所变迁，是为苦谛。（苦与乐，方为吾人之领受，方能觉知，分为苦受、乐受、舍受三种。生时苦，住时苦，灭时乐。因其生住二时皆苦，故以苦受为苦苦。生时乐，住时乐，果报应时苦，因其生住二时皆乐，故以乐受为灭苦，不苦不乐为舍受，生、苦、灭三时，苦乐之义皆不彰，但时时刻刻，无不为无常所变迁，故以舍受为行苦。）

迷之因，由于烦恼，此烦恼恶业，能集起未来之苦果，是为集谛。灭此苦果，归于涅槃，为灭谛。入此灭谛，必先修佛道，为道谛。此使声闻：知苦谛是生死果报，令彼厌；知集谛是烦恼业因，令彼断；知灭谛是涅槃果，令彼欣；知道谛是涅槃因，令彼修也。声闻修此，得阿罗汉果。

十二因缘

十二因缘法，乃为缘觉所说之法。缘觉者，言其由此十二因缘而悟道也。

无明，痴暗也，即烦恼障，亦谓之惑。行，造作也，亦谓之业。此二支属过去因，能生现在受苦之果。

识，初托母胎，最初所起之一念。名色，名是心，色是身，胎中形体未备时之称。六入，胎中所成六根，将有所入也。触，出胎后三四岁，六根对六尘，有所接触也。受，五六岁至十三岁，能领纳前境，违顺苦乐也。此五支属现在果。

爱，十四岁至十八九岁。贪恋财、色、名、食、睡五欲等事也。取，二十岁以后，于五尘境，广遍追求也。爱取二者，随逐烦恼，乃现在之无明。有，既有尘欲，作有漏业，当生三有也。是乃现在之业。此三支成未来因。

生，四生六道中受生也。老死，既生身后，以至成熟灭坏也。此二支属未来苦果。

以表明之如下：

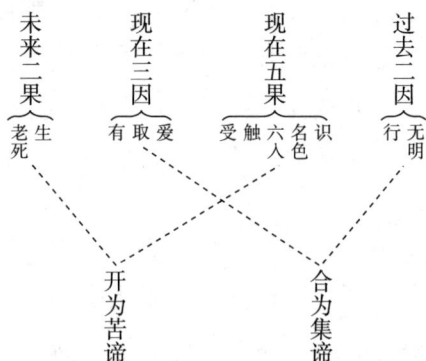

上表以三界因果，包括十二因缘，然不过就四谛开合详说之耳。无明、行、爱、取、有五支，合为集谛。识、名色、六入、触、受、生、老死七支，开为苦谛。观因缘智，即为道谛。十二支灭，即为灭谛。无明缘行，行缘识，识缘名色，名色缘六入，六入缘触，触缘受，受缘爱，爱缘取，取缘有，有缘生，生缘老死忧悲苦恼，是为顺生死流，十二缘河满。无明灭则行灭，行灭则识灭，识灭则名色灭，名色灭则六入灭，六入灭则触灭，触灭则受灭，受灭则爱灭，爱灭则取灭，取灭则有灭，有灭则生灭，生灭则老死忧愁苦恼灭，是为逆生死流，十二缘河倾。缘觉修之，得辟支佛果。

附　录

六度

六度者，布施、持戒、忍辱、精进、禅定、般若也。此六者为菩萨所修。菩萨本云"菩提萨埵"。"菩提"者，佛道；"萨埵"者，成就众生也。以智上求佛道，以悲下救众生也。

布施，梵语"檀那"，施有二种：一者财施，谓以衣服饮食田宅珍宝及一切养身之具随力施与，自舍悭贫，令彼欢喜；二者法施，谓从诸佛及善知识，闻说世间出世间善法，以清净心为他人说，不应贪求名利恭敬也。

持戒，梵语"尸罗"，译为止得，言止恶得善也，又译为戒，谓防止身、口、意所作之恶也。戒之根本有五：不杀、不盗、不淫、不妄语、不饮酒是也。

忍辱，梵语"羼提"，忍辱所以治嗔，有二种：一者生忍，谓于恭敬供养中，不生憍怠；于嗔骂打害中，不生怨恨也。二者法忍，谓于寒暑风雨饥渴等法恼害之时，能安能忍，不生嗔恚忧愁也。

精进，梵语"毗黎耶"，亦有二种：一者身精进，勤修善法，行道礼诵讲说，不自放逸也；二者心精进，行善之心，久久相续，不自懈退也。

禅定，梵语"禅那"，汉语为静虑，专心敛念，守一不散之谓也。

般若，是梵语，汉译为智慧，谓照了一切诸法，无所不知，而能通达一切无碍，为诸众生说法也。

菩萨修六度因，得大涅槃果，即与佛同。

佛

佛者，觉也。"觉"具三义：一者自觉，悟性真常，了惑虚妄。二者觉他，运无缘慈，度有情界。三者觉行圆满，穷源极底，行满果圆。故云，生死长夜，莫能自觉，自觉并觉彼者唯佛耳。

十界

六凡、四圣，合之则为十界依正二报，吾人一心皆具备焉。不过依因缘之染净，遂致迷悟分途耳。

三界流转

三界者，欲界、色界、无色界也。界者，限也，别也。谓三界分限各别不同，故谓之界。

一、欲界

此界秽恶，具有淫欲、食欲、睡眠欲。上至欲界六天道，下极阿鼻地狱，皆多染欲，故名欲界。欲界除人、修罗、鬼、畜、地狱外，尚有六天如下：

附　录

【六欲天】

（一）四天王天——东方持国天王，南方增长天王，西方广目天王，北方多闻天王。

（二）忉利天——梵语"忉利"，汉语三十三，往世有三十三人同修胜业，同生此天。

（三）须夜摩天——梵语"须夜摩"，汉语善时分。谓此天时时唱快乐故。又云受五欲境，知时分故。五欲者，色欲、声欲、香欲、味欲、触欲也。

（四）兜率陀天——梵语"兜率陀"，汉语知足，谓此天于五欲境知止足故。

（五）化乐天——谓此天自化五尘而娱乐故。

（六）他化天——谓此天将他所化乐事，以成己乐。即欲界天主也。

二、色界

色即色质，谓离欲界秽恶，而有清净之色身。乃修世间禅定得此果报。此界皆是化生，并无女形，亦无欲染。尚有色质，故名色界。共有四禅十八天如下：

【初禅三天】

（一）梵众天——梵者，净也，以无染欲故。众，犹民也，谓此天是初禅天主之民众也。

（二）梵辅天——辅者，佐也。谓此天是初禅天主之辅佐臣僚也。

（三）大梵天——谓此天是初禅天之主也。

【二禅三天】

（一）少光天——谓此天光明少故。

（二）无量光天——谓此天光明增胜无阻量故。

（三）光音天——谓此天以光明为语音故。

【三禅三天】

（一）少净天——谓此天意识乐受清净故。

（二）无量净天——谓此天净胜于前，不可量故。

（三）遍净天——谓此天乐受最胜，净周遍故。

【四禅九天】

（一）无云天——以前诸天，空居依云而住。此天在云之上，居云之首。故号无云。

（二）福生天——谓此天修胜福力而生其中，从因得名故。

（三）广果天——谓此天果报广大，无能胜故。

（四）无想天——谓此天一期果报，心想不行故。一期，谓从生至死也。

（五）无烦天——谓此天离欲界苦，及色界乐；苦乐两灭，无烦恼故。

（六）无热天——谓此天研究心境，无依无处，清凉自在，无热恼故。

（七）善见天——谓此天妙见十方世界，圆澄无尘垢故。

（八）善现天——谓此天空无障碍，精见现前故。

（九）色究竟天——谓此天于诸尘处研穷究竟故。

三、无色界

谓但有心识，而无色质，此色界果报更优胜，凡有四天，谓之四空天：

（一）空无边处天——谓此天厌色身系缚不得自在，心缘虚空，与无色相应，住空处定故。

（二）识无边处天——谓此天厌虚空无边，于是即舍虚空，转心缘识，以识为处故。

（三）无所有处天——谓此天厌识处无边，于是舍识入无所有处，亦名不用处，谓不用前空处识处故。

（四）非想非非想处天——谓此天居无色界之极顶，非无所有处之无想，非识处之有想故。

三界六道，总称世间，尽是凡夫。凭善恶之果报，上升下堕，生生死死，靡有穷时。是谓三界流转，即迷境也。

烦恼惑业

贪、嗔、痴、慢、疑、恶见六者，为吾人之根本烦恼。因此烦恼而起迷惑，迷惑有二：一、见惑，分别曰见，谓意根对法尘，非理筹度，起诸邪见，如外道计断常有无之类，是名见惑。二、思惑，谓眼、耳、鼻、舌、身五根，对于色、声、香、味、触五尘贪爱染着，迷而不觉，是名思惑。由此迷惑，发现于身、口、意三者之作用，谓之业。此起惑造业，乃迷心也。

总别二报

十界中之众生，由其共业所感，同生一界，名曰总报。各界之中，更有贫、富、贵、贱、贤、愚、美、丑、苦、乐、强、弱等无量差别，名曰别报。报者，果也，自己业力所感，并非另有主宰，愚者不知，是为迷果。

能化佛身

佛能自觉觉他，能为众生广开法门，以施教化。如医生之治病，故云能化。

所化众生

所化对能化而言，众生即一切凡夫是也。唯其沉迷不觉，故须赖先觉之佛，出而教化之。

应病与药

众生之病，种种不同。若药不对症，即不能愈病。故佛就众生之根机种类，设立教法。如医生之处方与药焉。

（下略）

附录二
佛学大意

昔在上海商科大学演讲佛学大意，学生笔记稿未经鄙人检定，遂在《申报》发表，《海潮音》、《居士林》等杂志亦辗转登载。因见其中不免错误，故改定之如此，蒋维乔志。

中国向有儒、释、道三教。实则儒家是否是宗教，尚未有定论。道家渊源于黄老之哲理，三代秦汉之时，极为盛行，至后汉张道陵托名老子之道教，实非道家之真面目也。佛教自汉时入中国，势力甚大，哲理亦深，今流传之《藏经》有八千余卷，其教义之精博，世界宗教莫与比伦，诚极高等之宗教也。近代研究佛经者，自安徽杨仁山（即杨文会，字仁山）先生始。先生曾以私财收藏经典，加以校订，创设金陵刻经处，刊印单行本，以惠后学。吾侪得略窥秘奥，皆先生之赐也。

　　佛经极不易看，因其中术语太多，且其文由梵文译成，梵文文法之排列与中国文法相反，故译成之经另有一种文体。初读佛经，遇难解之处，不必退缩，无论了解与否，依旧向下读，读得多，自会领悟，大约了解一二部，便可渐渐推及其余。

　　今欲讲佛学大意，第一须明白佛教的目的。佛教的目的，在明心见性。心有二门：一真一妄。真心不生不灭，常住不动；妄心忽生忽灭，变动不已。佛教的目的即是使我心反妄归真，造乎不生不灭境界。我等现在所住之境，俱是虚妄不实，何以故？譬如桌子放在此地，好像是实在不动，但是组成它的原子，相互之间变动甚速，丝毫不停，变久则坏，到了后来，腐朽不堪用矣。吾人身体亦然，从生理上讲，人身为十四种原子合成，原子组成细胞，无数细胞集合而成身体。此细胞随吾人言语动作，逐渐分裂消耗，再由吾人摄取之食物，经胃肠之消化，变为血液，发生新细胞以补充之。此细胞之消耗与补充，新陈代谢，密化潜移，刹那不住。试取镜照面，则见我少年时，已非幼时面目，壮年时已非少年面目，至老年则血枯皮皱，面目全非矣，是即新陈代谢之作用也。故就生理上计算人身新陈代谢之作用，不过七年，全身必另换一个，特其变迁微细，吾人不自觉耳，此吾身生灭之现象也。

　　大凡世间一切物，在生灭之中者，皆是虚妄不实，岂但吾身如此，吾心亦然。试反观之，则觉千端万绪之妄念，倏生倏灭，刻刻不停，此妄念是攀援性，由甲至乙，由乙至丙至丁，以至无穷。学佛之目的，即在息此妄念，归于真念。但妄念之外，并非另有一真境。妄念生时，是为妄境；妄境息时，即为真境。譬如大海风平浪静，此海之真相也；风起浪兴，则海之妄相也。风浪息，则海之真相可见，并非风浪之外另有一海相。吾心妄念一息，即是真心，亦非妄念之外，另有真境。所以佛家之用功，重在息妄。妄心息，即真心之名亦不必存在矣。

今之生理学上，分心为知、情、意三分。佛家则分为八识，比较精细。眼、耳、鼻、舌、身为前五识，第六意识，第七末那，第八阿黎耶。眼、耳、鼻、舌、身、意为六根，其所对之色、声、香、味、触、法为六尘，眼、耳、鼻、舌、身、意及色、声、香、味、触之意义，均较易明。唯法之意义，并非法律法规之谓，乃指一切有形无形之事物，为意识所想得到者而言。因天地间一切事物，俱有一定秩序，故名之曰法。末那之意义为执我。执我，为一切罪恶之根源。吾人之我见，乃自有生以俱来。譬如小儿自母胎出生，就知吃乳，虽为一种冲动，然已知有我身在，欲营养之，此即执我也。阿黎耶之意义为含藏。譬如吾人，能追记往日或数十年前之事，即阿黎耶之功用也。真心是不生不灭，由真起妄，如海起风，故称识浪。前七识之识浪，皆依第八之阿黎耶，故阿黎耶为妄心之根本。佛家反妄归真，即转变此阿黎耶，成一种真智慧，而超脱此生死大海是也。

佛学之目的既明，须当研究其方法。方法可分二大类：一为世间法，一为出世间法。世间法与他种宗教一样，其法极简易，可用四句来包括，即"诸恶莫作，众善奉行，自净其意，是诸佛教"四句，无非教人行善止恶而已。出世间法，则有大乘小乘之别，此乃佛当时看各人根器不同，为之分别说法。小根器者，闻之而成小乘；大根器者，闻之而成大乘。非佛法本有大小也。

小乘分声闻、缘觉二种，大乘只菩萨一种。由菩萨再进，即为佛。佛为"声闻"所说之法名四谛，即苦、集、灭、道。谛者，审谛不虚之道理也。平常人往往思避苦就乐，但不知苦与乐究有何分别。其实苦与乐，皆以感受环境而起者。境有顺有逆，过顺境则乐，遇逆境则苦，两者原无分别，何以故？今可以苦乐发生的时间说明之。凡时间有生时、住时、灭时，譬如患病，当病初起为生时，正在病中为住时，则生住二时皆苦，然至病灭时则乐。又如听音乐，初听为生时，正听为住时，则生时住时皆乐，而音乐灭时，则有曲终人散之感，而为苦矣。可见世间所感苦乐，唯以时间之长短而分，生住二时皆苦为苦，生住二时皆乐为乐。实则，苦乐不外一种感受，并无分别。吾人之身，苦多乐少，生老病死，时时刻刻无不为无常所变迁。唯愚痴的人，往往不明白，必须见佛闻声而后能悟，故名声闻。吾人之生老病死，苦多乐少，是为苦谛。但生老病死，是吾人今生所得之果，是免不了的。既是果必有因，遂进而求宿世之因，其因为何？即为无明烦恼。由烦恼造业，能集起未来苦果，是为集谛。吾人既知其因，不得不求一种方法以灭之，是为灭谛。欲入此灭谛，必先修佛道，是为道谛。此即声闻所修之四谛法也。

佛为缘觉所说之法，名十二因缘。十二因缘，为无明、行、识、名色、六入、触、受、爱、取、有、生、老死。无明及行，为过去因能生现在受苦之果。无明，痴暗之意。行，造作之意。识、名色、六入、触、受五者，为现在之果。识，为初托母胎，最初所起之一念。名色者，名是心，色是身，胎中形体未备时之称。六入者，胎中所成六根，将有所入也。触者，出胎后，六根对六尘有所接触也。受者，能领纳当前境遇，逆则苦，顺则乐也。爱、取、有，为现在之因。爱为贪恋财、色、名、食、睡五欲等事。取者，于色、声、香、味、触之五尘境，广遍追求，满其欲望也。爱、取二者，随逐烦恼，为现在之无明。有者既有尘欲，作有漏业，当生三有也，生、老死二者为未来之果。因果循环，生死不断，不出此十二因缘。吾人是顺生死流，即由无明缘行，行缘识，顺次相缘，以至老死。缘觉由十二因缘悟道，知生死根本在无明，故首灭之。无明灭则行灭，行灭则识灭，乃至老死亦灭，所谓逆生死流，是即缘觉所修之十二因缘法也。

大乘与小乘不同之处，小乘只知自利，大乘则重在利他。前讲声闻缘觉所修之法，均为自己精修，了脱生死，大乘菩萨则不然。"菩萨"二字，译自梵文，梵文原为"菩提萨埵"。"菩提"者，觉也，"萨埵"者，众生也，以觉上求佛道为自利，以悲下救众生为利他，盖不求仅能自利也。其修行之方法为六度，布施、持戒、忍辱、精进、禅定、般若是也。大乘菩萨既以利他为旨，故第一事即为布施。布施有二种，财施与法施。以货财与人谓之财施，教人以道谓之法施。持戒为止恶修善之规律，吾人为恶，由于欲望，欲望不满足，即生烦恼，所以持戒以减遏欲望。戒有五：一戒杀，二戒盗，三戒淫，四戒妄语，五戒饮酒。忍辱所以治嗔。精进谓向前猛力用功，禅定为菩萨真实用功之法，专心敛念，守一不散之谓。禅定以后，发生大智慧，能照了一切诸法，无不通达，是为般若。

　　其次当论中国现在所有佛教宗派。共可分为十派：（一）俱舍宗，（二）成实宗，此二宗为小乘法。（三）律宗，（四）法相宗，（五）三论宗，（六）华严宗，（七）天台宗，（八）真言宗，（九）净土宗，（十）禅宗，以上八宗为大乘法。佛在世说法四十九年，并未著书。现在所有经典，皆其弟子于佛灭度后，各汇集其所闻而成。中国自汉迄唐，翻译极盛。今所传之《大藏经》，分经、律、论三类。佛口亲说或命弟子所说之法为经，后人加以注释为论，讲明戒律者为律。其宗派所由分，乃由弟子所闻佛说各有不同之故。亦犹孔子对门弟子说仁，各因其人而不同，弟子传之遂分成宗派也。唯其大别可分为空有两论。空有两论，乃佛当时鉴于各人之观念不同，而分别救正之，使归于中道者。例如有人说世间一切是空的，佛恐其执定空见，不合中道，遂为之说有；其人既闻有后，以为世间一切是有的，佛遂复为之说空。佛之目的，欲使人不固执一边之见，而悟非空非有之中道，后人因其所闻者不同，遂成空有两宗之别。

就中国小乘两派言，则俱舍宗讲有，成实宗讲空。俱舍宗本于世亲菩萨之《俱舍论》，此论专弘有宗，六朝时陈朝真谛三藏译此论，后来佚失不传。唐玄奘法师重译三十卷，其门人等大为阐扬，遂立此宗。

成实宗本于诃梨跋摩之《成实论》，此论发挥人法二空之理，与俱舍恰相反。此宗观察宇宙万有，分为世界门及第一义门。世界门认诸法为有，人我非无。却不知一切诸法，皆从因缘而生，离因缘则灭，虽有亦假，似有实无。第一义门，则说人空法空。二空真理，至此宗乃显然揭出。

律宗之起，当佛灭度时，弟子询佛："佛在世时，以佛为师，佛灭度后，将以何为师？"佛曰："戒为师。"是为律宗之始。唐道宣律师，盛弘此宗。近代宝华山专以律著名，盖佛家之戒、定、慧三字，次第相须，未有不持戒而能得定、慧者。持戒则违背凡情，随顺圣道；不持戒则违背圣道，随顺凡情。焉能超出生死大海耶？

　　法相宗之经论甚多。此宗成立于唐玄奘法师。玄奘原是大学问家，出家后对于前人所译经典有怀疑之处，乃立志自往印度求学。到印度后，从戒贤论师，精通其法，归国译传，遂成法相宗。其教义以宇宙万有悉为识所转变，三界唯心，心外无法。当时宗风极盛，宋以后渐衰，论疏亦佚失，至明朝而复振，学者著述颇富。然因未睹论疏，不免向壁虚造，多所乖舛。今则论疏自日本《续藏》中取回，学者始得观此宗之真面目。

　　西土本"性"、"相"两宗：性宗谈自性空，相宗谈如幻有。相宗即前述之法相宗，性宗则三论宗也。三论者，《百论》、《中论》、《十二门论》是也。《百论》破世间之邪，以显一切之正。《中论》破大小二乘之迷，通于大小两教。《十二门论》破小乘之妄执，以显大乘之真义。

　　华严宗与天台宗，可称中国佛学。《华严》为最广大之经。唐杜顺和尚依经立观，为此宗之初祖。天台宗，以地得名，隋时有智者大师居天台山，建立此宗。其所宗为《法华经》，其修持法门为三止三观。三止者：（一）体真止，谓体达无明颠倒之妄，即是实相之真。（二）方便随缘止，谓随缘历境，安心不动。（三）息二边分别止，谓不分别生死涅槃有无等二边之相。三观者：空观，假观，中观也。

附　录

真言宗亦名密宗，与他宗独异。他宗多以理为本，依理起修；此则于理之外，偏重事相。其所依之经为《大日经》，谓非释迦所说，乃大日如来所传。且谓释迦所说之经，皆是方便，唯此教乃真实之言说，故曰真言。其修持方法为持咒，仪式极多。唐时传入中国，至明代即禁止，然盛行于日本。今西藏、蒙古之喇嘛教即此宗之支流也。

净土宗专教人念佛发愿往生净土，故名。晋有慧远法师倡此宗，曾在庐山发起莲社，当时入莲社者，均系一般知名之人，陶渊明亦加入焉。他宗教人修持，皆步步前进，竖出三界，成功较难。净土宗则用念佛法门，教人依仗佛力，横超三界，且可带业往生净土，只要临命终时，一念不乱，所以为最便利之法也。

禅宗创自晋达摩祖师。达摩以学人专于义字上用功夫，执著知见，障碍真修，故不立文字，直指人心，教人默坐离念，明心见性。故禅宗不论不识字的人，或极聪明之人，都可以学。净土与禅宗，今极盛行。自明以来，大丛林中所用参禅方法，即是禅宗。然无有不兼用念佛功夫者，所谓禅净双修也。

以上所讲十种宗派，实不外乎空有两论。其修持方法，不外事修与理观二者。现在研究佛学的人很多，但真能明白的很少。大概可分为两种人：一为失意的政治家，彼视佛为消极的，为避世的，故一经失意，即借此逃避。其实佛学是积极的，试观释迦说法四十九年，无一日不以度众生为己任，何尝是消极耶！二为学时髦的人，彼等以今日佛学颇流行，于是亦稍稍涉猎，自命为佛教徒。因佛经中有言及鬼神处，于是牵强附会，喜为扶乩等神怪之事，以惑世诬人。学者不可不察也。

附录三
孔子与释迦

蒋维乔在暨南学校讲演。

"孔子与释迦"一题，范围极广。今但就二圣同异之点，略为说明。

一、降生年代相同

通常称释迦降生至今（民国十三年）为二千九百五十一年，然实相沿之传说，多不足依据。今经学者详征东西史乘，考定释迦降生至今为二千四百八十九年，而孔子降生至今为二千四百七十六年。东西两圣，实为并世。是孔子在杏坛敷教之日，正释迦在鹿苑舍卫大转法轮之时也。

二、同为贵族

孔子鲁人，宋微子之后；释迦中印度迦毗罗卫国净饭王之太子。虽同出于贵族，而其境遇则异。孔子少孤，其处境逆，学成而为伟人也易；释迦则生长王宫，享尽人间幸福，其处境顺，学成而为伟人也难。

三、同为博学多才

孔子称为生知之圣，体格奇伟，身长九尺六寸。其教人以礼、乐、射、御、书、数六艺为主。礼、乐、书、数属文，射、御属武，实为文武兼才。释迦则七八岁时，一切学问皆不习而知，深通五明之学。五明者，医方明，工巧明，声明，因明，内明也。且有膂力，为太子时，曾与诸王子比武，将出城，有大象立阻城门，太子手执象，遥掷于城外，疾前，还以手接之。故其有文武才，与孔子同。

四、学说之异同

论其学说，孔子生长中国北方，崇实际，主力行，贵人事，喜保守。其学说之立脚点在正心诚意，而推及于修身、齐家、治国、平天下，完全为入世派。其言道

附　录

德，最重仁字，唯由亲及疏，颇有等差。所谓亲亲而仁民，仁民而爱物也。其施教则定为五伦，以规范君臣、父子、夫妇、兄弟、朋友之义务。

试观一部《论语》，弟子问仁者不一，而其答案亦各异。盖孔子因人施教，立说无方也。其一生立己达人，俱重实际，凡事涉幽玄，非所乐道。故子路问死，孔子应之曰："未知生，焉知死。"子贡亦曰："夫子之文章，可得而闻也；夫子之言性与天道，不可得而闻也。"唯重实际，故喜保守；自云："述而不作，信而好古。"晚年道仍不行，退而删《诗》、《书》，定《礼》、《乐》，赞《周易》，作《春秋》。所谓删、定、赞，皆述而不作之意，即《春秋》亦系鲁史，不过孔子加以笔削，示褒贬耳。

释迦生于中印度。印度自来有婆罗门教，偏重出世。故其思想，亦受其影响，完全为出世派。然其讲人世间之伦理，大部分同于孔子；而其出世间之思想，则孔子所不道也。其教义最重慈悲二字，慈以予乐，悲以拔苦。

考释迦思想之渊源，可以其少年之故事为证：彼于十二岁时，当春耕节宴，父王携之出宫游行。见农夫耕田翻土，有受伤之虫，暴露地面，飞鸟群集啄食之。心中十分悲悯，因生厌离之心。于是独坐树下，结跏趺坐，深入禅定。父王寻觅得之，问何故坐此？答云："见诸众生，互相吞食，心生哀悯，故坐于此，不愿还国。"父王慰之，恐其出家，与百官商议，加增宫中娱乐之具，复为纳二妃，极人间一切乐事，以娱太子。太子毫无染着心。后父王复令出游，使增见闻之乐。太子见民家丧葬，因念人间生老病死之苦，思解脱之。年十九，中夜逾城出家。入雪山，修苦行六年。遂于十二月初八日子时，在菩提树下，豁然大悟，成无上正等正觉。

释迦更以其所悟者，出而普度众生，说法四十九年，而自云未尝说一字。盖释迦之意重证悟，不重言说文字，譬犹以船引渡众生，达于彼岸，既至彼岸，则船亦应舍。若执著言说文字，以为道之所在，是犹既至彼岸，仍负船而行，是愚之甚者。又如一轮明月，高悬天际。或不见月，先觉者用手指点之，其目的在使见月，不在见指。倘或人只凝视此手指，而以为月之所在，不亦谬耶。经典犹船与手指耳，若重文字而轻证悟，是负船而行，视指为月之类也。今所传佛藏经典，至为浩繁，皆佛灭度后其弟子恐日久遗忘，互相结集而成，并非佛在世时有所著述。此又与孔子之亲自述作不同者也。

观孔佛二家之学说：一重在入世，一重在出世，渊源迥然不同。而我国人自来习惯开口则云三教同源，是可见吾人思想之笼统。因此治学之方法，亦最喜附会，不知分析，学者不可不力除此病也。

附录四
五蕴大意

民国二十年十一月二十九日，蒋竹庄居士在世界佛教居士林佛学研究会讲，高观庐居士记录。

总说

佛教之根本修行，唯在破执。《般若心经》所云"照见五蕴皆空"一语，即破执之下手功夫，一切万有，不出"五蕴"。能见五蕴皆空，斯妄执悉泯，真理显现焉。

五蕴者何？色、受、想、行、识是也。蕴是积聚，宇宙人生，均为极微（元素）所积聚而不出此五者。就人生言，前一为身，后四为心。又前一属物质界，后四属精神界。倘能照见五蕴皆空，那是彻见身心皆空，亦即彻见一切精神物质皆即是空，故为佛教之根本法也。

今欲照见五蕴皆空，不可不先明白五蕴之大意，依解起行。然后可契证于真空妙道。

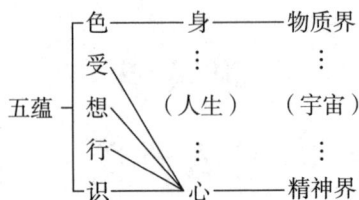

```
        ┌─色────身────物质界
        │ 受      ⋮       ⋮
五蕴 ─┤ 想   （人生） （宇宙）
        │ 行      ⋮       ⋮
        └─识────心────精神界
```

一、色蕴

色蕴有十一种。诸有形质之万物，悉包括于此十一色法之内，十一色蕴者谓：

1. 眼根。

2. 耳根。

3. 鼻根。

4. 舌根。

5. 身根。

6. 色尘（凡眼可见者皆属之）。

7. 声尘（凡耳可闻者皆属之）。

8. 香尘（凡鼻可嗅者皆属之）。

9. 味尘（凡舌可尝者皆属之）。

10. 触尘（凡身可触者皆属之）。

11. 无表色（是不可见之色法，又名法处所摄色）。

此十一色蕴。不但就吾人之一身言，即宇宙万象莫不于此概括尽之。

以上五根、五尘、无表色等十一色蕴之本质，即为四大。四大者：一地、二水、三火、四风。地者坚性、水者湿性、火者暖性、风者动性，一切万物皆此四大种子之所造成。

就人身言，筋肉骨骼皆属坚性；血汗水分皆属湿性；体温热气皆属暖性；呼吸吐纳皆属动性。就宇宙言，金木土石即为地大；江海川流即为水大；曝暖炎烧即为火大；空气流动即为风大。佛经云"大种造色"，即此谓也。

又此中之五根，以五尘为境，根尘相对乃能生识。而此五根，即五识所依之清净色也。

眼根——以色为境——为眼识所依之清净色

耳根——以声为境——为耳识所依之清净色

鼻根——以香为境——为鼻识所依之清净色

舌根——以味为境——为舌识所依之清净色

身根——以触为境——为身识所依之清净色

色尘——为眼之境

耳尘——为耳之境

香尘——为鼻之境

味尘——为舌之境

触尘——为身之境

五根对五尘而生识。此中又有分别，即眼耳二根是离中取境，鼻、舌、身三根是合中取境。

眼根——离中知（离于眼而见）（离中知指根境相离，不接触仍能知）

耳根——离中知（离于耳而闻）

鼻根——合中知（合于鼻而嗅）

舌根——合中知（合于舌而尝）

身根——合中知（合于身而触）

无表色是意根所造成之色，如入火光，定示现有火；入水光，定示现有水之类。要之十一色蕴即为四大之所造，而四大即为十一色蕴之能造也。

二、受蕴

受、想、行、识不属于物的范围，属于心的范围者也。吾人心的发动，最初由感觉环境而起，故名为受。受有三：一曰乐受，二曰苦受，三曰舍受（亦名不苦不乐受）。苦乐二受，为环境上顺逆之感觉。吾人之有苦有乐，不过环境之颠倒，实则苦乐之性质并无两样。试以感受之时间分析之，各有生住灭之三时。如病是苦，方初生时觉得是苦，正住病中时更觉其苦，及病已除，则觉其乐矣。于快乐时亦然。初生是乐，正享受时更乐，

附　　录

及乐除灭时则觉其苦矣。吾人如此体忍，则苦乐乃不成
问题。至于舍受，则其环境为非顺非逆，感觉为不苦不
乐。在修行上，苦乐二受，易于解脱，而舍受则不易断
除也。

三、想蕴

吾心由感觉进而至于取像，即为想蕴。想者，即取
诸境像之谓也。此又可分为有相想与无相想之二种。能
取诸境界而起言说，具有明了及分别二种相状者，为有
相想。虽取诸境界，或缺分别，或缺明了，如婴儿虽能
对色起想，而不能了此名为色者，为无相想。

修行上有种种法门，无非对治妄想，盖想为生死根
本，必须舍除，方可了脱生死，证入佛道也。

四、行蕴

吾心由取像进而至于有所造作，即名行蕴。行者造
作之义，念念相续，而行动不息也。其范围最广，包括
五十一心所，又二十四心不相应行。受想二蕴本属于行
蕴之五十一心所中，因二者力量最胜，故别开之。

五十一心所，又名"心相应行"。内分遍行五、别
境五、善十一、烦恼六、随烦恼二十、不定四。但除受
想，即为四十九心所。

遍行者，谓遍起于一切善、不善、无记心者。原有五法，但受、想二法别开，故为三法，分别为：触、作意、思。

别境者，谓于各别之境界而起者，此有五：
1. 欲。2. 胜解。3. 念。4. 三摩地。5. 慧。

善者，谓善心所。此有十一：
1. 信。2. 惭。3. 愧。4. 无贪。5. 无嗔。6. 无痴。7. 精进。8. 轻安。9. 不放逸。10. 舍。11. 不害。

烦恼者，谓不善心所，此系根本烦恼，有六法：
1. 贪。2. 嗔。3. 痴。4. 慢。5. 疑。6. 见。

随烦恼者，亦是不善心所，随以上根本烦恼而起，故名随烦恼。此有二十：
1. 忿。2. 恨。3. 覆。4. 恼。5. 嫉。6. 悭。7. 诳。8. 谄。9. 骄。10. 害。11. 无惭。12. 无愧。13. 惛沉。14. 掉举。15. 不信。16. 懈怠。17. 放逸。18. 失念。19. 散乱。20. 不正知。

不定者，不能定其为善为恶，以其通于善恶无记者也。此有四法：

1. 悔。2. 眠。3. 寻。4. 伺。

二十四心不相应行，即是不与心相应而起之蕴行。共有二十四法：

1. 得。2. 无想定。3. 灭尽定。4. 无想天。5. 命根。6. 众同分。7. 生。8. 老。9. 住。10. 无常。11. 名身。12. 句身。13. 文身。14. 异生性。15. 流转。16. 定异。17. 相应。18. 势速。19. 次第。20. 时。21. 方。22. 数。23. 和合。24. 不和合。

以上皆属行蕴。

五、识蕴

受、想、行蕴，皆从心的活动方面分析言之。心的本体即是识蕴，所谓心王也。可分为八：

1. 眼识。2. 耳识。3. 鼻识。4. 舌识。5. 身识。6. 意识。7. 末那识。8. 阿赖耶识。

识者，由根尘相对而发生之知识也。如眼根对色尘而生眼识，耳根对声尘而生耳识，鼻根对香尘而生鼻识，舌根对味尘而生舌识，身根对触尘而生身识。此五识，又合称为前五识。第六则意根对法尘而生意识。

前五识必须有意识为之总持，若无意识，则前五不能成识。所谓视而不见，听而不闻也。平常人只知有六识，即科学家所知，亦不出六识。然佛教中则尚有七、八二识，此系用反观功夫而发现。第六识有根，即第六识分别事物，念念起，念念灭。由甲至乙，由乙至丙，是有间断的，然我之一念，无始以来，从不间断。佛家由禅定功夫破第六识而知此不间断之意，是名第七识。

第七识，我国向来无此名词，故义不能翻译，其音名为"末那"，即执我之义，谓吾人对于一切事物，执以为"我"及"我所"。因之造诸业苦，皆是此识之业用。故佛教中根本教义，即在破除我执，而转变此第七识也。

第八识为第七识之所依，名阿赖耶识，亦是译音，义为"含藏"，含藏一切善恶因果种子而相续不断也。此含藏有三义：一为能藏，二为所藏，三为我爱执藏。能藏即为第八识，所藏是前七识，我爱执藏是第七识。

第八识范围广大，不但吾人身心由此识而起。即宇宙间一切现象，皆是八识之相分所显现，因此遂有种种业报。然由佛教之眼光观之，则宇宙万象无非众生之妄执而已。故一切佛藏中，唯在讲一"破"字，即破执是也。盖"破执即法"、"执破即佛"将一切有漏之识，变而为无漏之智，此所谓转识成智也。

转识之次第，即先转第六识成妙观察智，次转第七识成平等性智，再同时转第八识成大圆镜智，及前五识成所作智，故名为三转四智。

附　录

结论

五蕴大旨，略如上述。夫佛教主要，在空诸五蕴。易言之，即破身心之幻妄也。故先须明了五蕴之意义，然后能用返照功夫，了知本来是空也。

须知世间万象一切本空，唯依因缘凑合而成。而第八识，含藏业因种子，故又名业识。吾人身体虽死，此识不断，随业力流转，长在生死轮回中，而有色、受、想、行、识诸蕴之蔽障焉。

经云："色如聚沫，受如水泡，想如野马，行如芭蕉，识为幻法。"此五蕴之不实可知。空诸五蕴者，了知其本来是空也。

今日为时间关系，仅略举大意。欲知其详，可观世亲菩萨之《五蕴论》、安慧论师之《广五蕴论》。兄弟昔年在学校讲此论时，曾就《广五蕴论》加以注释，名《大乘广五蕴论注》，由商务印书馆刊行，此为相宗入门要典也。

图书在版编目（CIP）数据

因是子佛学入门／蒋维乔著 . —北京：东方出版社，2013.12
（佛学入门四书）
ISBN 978-7-5060-6878-9

Ⅰ.①因… Ⅱ.①蒋… Ⅲ.①佛学 Ⅳ.①B94

中国版本图书馆 CIP 数据核字（2013）第 233662 号

因是子佛学入门
（YINSHIZI FOXUE RUMEN）

作　　者	蒋维乔
责任编辑	贺　方　王　萌
出　　版	东方出版社
发　　行	人民东方出版传媒有限公司
地　　址	北京市西城区北三环中路 6 号
邮　　编	100120
印　　刷	北京市大兴县新魏印刷厂
版　　次	2013 年 12 月第 1 版
印　　次	2021 年 5 月第 5 次印刷
开　　本	880 毫米×1230 毫米　　1/32
印　　张	6.75
字　　数	120 千字
书　　号	ISBN 978-7-5060-6878-9
定　　价	29.00 元

发行电话：（010）85924663　85924644　85924641